MANUEL BUSTOS SOUSA

BREVE
ORTOGRAFÍA ESCOLAR

TRATADO COMPLETO
DE ORTOGRAFÍA
MÉTODO VISO-AUDITIVO

Declarado de Utilidad por el Ministerio de Educación y Ciencia

★ ★
★

Inscrito en el Registro de Propiedad Intelectual

★ ★
★

QUINCUAGÉSIMA EDICIÓN REVISADA

Ediciones
OCTAEDRO

BREVE ORTOGRAFÍA ESCOLAR

MUY IMPORTANTE:

El presente texto se ajusta íntegramente a las Nuevas Normas de Prosodia y Ortografía redactadas por la Real Academia Española.

✔ Destinado a los niveles de 3er ciclo E. primaria y 1er ciclo E.S.O. (9 a 14 años).
✔ Eficaz en la preparación de Oposiciones y en las pruebas de acceso a la Universidad.
✔ Muy útil para perfeccionar y enriquecer el léxico de los estudiantes extranjeros del idioma español.

51.ª edición

1.ª edición en Ediciones Octaedro: marzo de 1995
2.ª edición: junio de 1995

© Manuel Bustos Sousa

© De esta edición:
Ediciones OCTAEDRO, S.L.
Passeig Lluís Companys, 15, 3.º, 1.ª
08003 Barcelona
Tel.: 268 16 00   / Fax: 268 40 23

ISBN: 84-8063-099-X
Depósito legal: B. 28.901-1995

Composición: Fotocomposición Víctor Igual

Impresión: Limpergraf, S.A.
Encuadernación: Maro, S.A.

Impreso en España
Printed in Spain

Tres cuestiones básicas se han tenido en cuenta al poner en manos del Magisterio este libro de Ortografía Escolar:

1.ª **Rehuir de las repeticiones**, en beneficio de la variedad y amenidad, pues aquéllas cansan al alumno y retardan el aprendizaje de todas las cuestiones que deben ser tratadas en un curso.

2.ª **Claridad en la exposición**, desarrollando los dictados cíclica y gradualmente, lo que unido a una metodología fácil y activa, consigue despertar y acrecentar el interés del alumno hacia una materia de por sí árida.

3.ª **Selección de vocablos**, escogidos después de una labor de varios años de trabajos y consultas de obras de eminentes pedagogos españoles, eliminando intencionadamente palabras que, si bien tienen una ortografía dudosa, se ven muy raramente empleadas en libros de texto y de lecturas por demasiado doctas o académicas.

En consecuencia, este libro que desde ahora va a convertirse en su valioso auxiliar ha **rehuido** intencionadamente de la machaconería; ha **seleccionado** los vocablos, escogiendo aquellos de más inmediato y práctico uso; ha **soslayado** los dictados anárquicos e improvisados, sin orden ni método; ha **cronometrado** la duración de los mismos, para no dar lugar al cansancio y sean resueltos en breves minutos; ha **evitado**, en fin, que este texto sea una lamentable trampa de cazar faltas para convertirse en un verdadero y eficiente **instrumento de trabajo personal**. Y así, cuando el escolar realice un dictado, lo hará confiadamente y con la base cierta y segura de que le ha precedido un comentario, una aclaración, un estudio.

Aquí radica el éxito alcanzado por este libro: que el alumno parta de lo conocido y concreto, **ya visto y leído**, a la vez que el profesor dé interés y amenidad a la metodología expuesta, y con esa seguridad aplastante que anima al niño que sabe y comprende sus lecciones, veremos y seguiremos sorprendidos sus adelantos en escritura al dictado.

Por último, a todos los compañeros y personalidades en el campo de la Enseñanza, que moralmente me ayudan y alientan para no interrumpir esta publicación, la más sincera y reconocida gratitud de

EL AUTOR

Metodología

Las fases a seguir, para el más acertado uso del presente método, son las siguientes:

1.ª El día anterior al del dictado, y teniendo los alumnos a la vista sus respectivos libros, será **leído** y **comentado** por el profesor.

2.ª **Estudio** del ejercicio comentado y aclarado en la clase.

3.ª A continuación, se procederá al **dictado,** dedicando una página para el mismo en un cuaderno vertical de una raya, incluyendo la regla, grupo y dictado.

4.ª **Autocorrección:** Para la corrección, los alumnos cambiarán entre sí los cuadernos, y guiándose por sus respectivos libros, harán las rectificaciones oportunas.

5.ª **Devolución de cuadernos:** Los alumnos pasarán las faltas tenidas al «Control de faltas» y procederán a copiar diez veces cada una en una hojita, que será recogida por el Profesor, quien previamente, pasando lista, habrá tomado el número de faltas que cada niño ha tenido.

6.ª **Exámenes:** Periódicamente se hará en la pizarra un examen individual de faltas, para lo cual los alumnos entregarán, al ser llamados, su libro, en donde se hallan las correcciones habidas y que han debido ser estudiadas previamente.

Primera parte: Teórica

Comprende:

Reglas del acento

Reglas generales

Reglas de los verbos

Reglas de la h - g - j - m - ll - x - b - v

Observaciones:

1.ª Las reglas ortográficas comprendidas en esta primera parte pueden aprenderse siguiendo uno de estos dos procedimientos:

a) Estudiándolas por grupos completos.

b) A regla por clase dada, que debe ser la que encabeza cada uno de los ejercicios a realizar.

2.ª Según su mejor criterio, el profesor puede ir suprimiendo aquellos dictados que estime son inferiores al nivel medio cultural de la clase.

3.ª A partir del ejercicio número 72 se ha suprimido el concepto «diccionario», a fin que sean los propios alumnos los que busquen las significaciones que escoja el profesor, para ser copiadas en el cuaderno de dictados y aprendidas de memoria.

Advertencia. *Los números dentro de los recuadros colocados en el margen izquierdo de las reglas, se corresponden con los respectivos dictados de la segunda parte.*

■■■ **Llevan acento ortográfico:**

■1■ REGLA I Las palabras **agudas** terminadas en vocal y en las consonantes n - s.

> café - compás - león - manatí

■2■ REGLA II Las palabras **graves** o **llanas** terminadas en consonante,
que no sean n - s.

> árbol - cáliz - carácter

■3■ REGLA III Todas las palabras **esdrújulas.**

> cántaro - húmedo - héroe

Nota. — Insista el profesor en el mecanismo fonético del acento prosódico, como
fase previa a estas tres primeras reglas.

■■■ **Casos particulares más importantes del acento**
(Ejercicios prácticos n.ºs 53 - 54 - 55, pág. 70)

1.º Los monosílabos no llevan acento, menos:

a) Sí (adverbio de afirmación, nombre, pronombre), para no confundirlo con si (conjunción).

> Si me dices que sí, vendrás de paseo.

b) Dé y sé (verbos), para no confundirlos con de (preposición) y se
(pronombre).

> Sé que debo estudiar. No se puede.

c) Él - tú - mí (pronombres) para no confundirlos con el (artículo) y
tu - mi (adjetivos).

> ¿Tú quieres ir? Eso es para mí.

d) Más (adverbio), para no confundirlo con mas (conjunción).

> Quiero más pan, mas no tostado.

e) La conjunción **o** llevará acento cuando esté colocada entre números, para no confundirla con el cero.

> **Tengo 8 ó 9 estampas. Iré hoy o mañana.**

f) **Aún** (adverbio de tiempo) llevará acento cuando sea sinónimo de «todavía»

> **El yate no ha venido aún al puerto.**

2.º Los monosílabos verbales **fue, fui, vio** y **dio** se escribirán sin acento ortográfico.

> **Juan fue al parque, vio los leones**
> **y después dio un largo paseo.**

3.º Las palabras **que - quien - cuan - cuando - cuanto - donde** y **como** llevarán acento siempre que se usen en forma admirativa, interrogativa o dubitativa.

> **¡Cuánta gente en la calle! ¿Quién llama?**
> **No sé cómo decírtelo. ¿Dónde vives?**

4.º Cuando una palabra termina en **io-ia**, sobre la **i** colocaremos un acento, deshaciéndose el diptongo.

> **alegría - caserío - gentío - María**

Se exceptúan las palabras graves o llanas terminadas en estas vocales.

> **guardia - garfio - media - radio - feria**

5.º Sobre las letras mayúsculas colocaremos acento ortográfico siempre que por las reglas generales del acento les corresponda llevarlo.

> **Álvaro - Árbol - Él es muy aplicado**

6.º Cuando un vocablo simple entre a formar parte de un compuesto como primer complemento del mismo, se escribirá sin el acento ortográfico que como simple le habría correspondido: **decimoséptimo, asimismo, piamadre.**

Se exceptúan de esta regla los adverbios terminados en -mente, como **ágilmente, cortésmente.**

4 REGLA I   Delante de **p** y **b** siempre se escribe **m** y nunca **n**.

bombilla, lámpara

5 REGLA II   Se escribe **d** a fin de palabra cuando el plural lo hace en **des**.

De bondad ⇒ bondades

6 REGLA III   Se escribe **z** a fin de palabra cuando el plural lo hace en **ces**.

De juez ⇒ jueces

7 REGLA IV   Se escribe **y** al final de palabra cuando no sean agudas terminadas en esta vocal.

muy - rey - ley - hoy - doy - voy

Excepciones:

colibrí - manatí - hurí...

8 REGLA V   Después de las consonantes **l-n-s** (lunes) y al principio de palabra, se escribe **r** aunque se lea como **rr**.

alrededor - honra - Israel - rabia

9 REGLA VI   Se escriben con **mayúscula** los nombres propios, al empezar un escrito y después de punto.

José, Córdoba, Ebro, Ibérica

10 REGLA VII   Las palabras **derivadas** se escriben con la misma ortografía que las primitivas de donde proceden, menos las siguientes:

De		
hueco	⇒	oquedad
» huérfano	⇒	orfandad, orfanato
» hueso	⇒	óseo, osario, osamenta
» huevo	⇒	oval, ovoide, ovíparo
» Huelva	⇒	onubense
» Huesca	⇒	oscense

11 REGLA I   Se escriben **he - ha - has - han** (con h), cuando la palabra siguiente termina en -ado - ido - so - to - cho, y cuando le sigue de.

> **He dado, ha sido, has roto, han dicho**

Véanse las excepciones en el Dictado número 11 - página 29

12 REGLA II   Se escriben con j los tiempos de los verbos que en el infinitivo no llevan ni g ni j.

> **De decir ➡ dijimos**

13 REGLA III   Se escriben con v los tiempos de los verbos que en el infinitivo no llevan ni b ni v.

> **De tener ➡ tuvimos**

14 REGLA IV   Se escriben con y los tiempos de los verbos que en el infinitivo no llevan ni ll ni y.

> **De oír ➡ oyendo**

Reglas de la h

Se escriben con h:

15 REGLA I   Las palabras que empiezan por hipo - hidro - hiper.

> hipócrita - hidrógeno - hipérbola

16 REGLA II   Las palabras que empiezan por hue - hui - hia - hie.

> hueco - huida - hiato - hielo

17 REGLA III   Las palabras que empiezan por hu más m más vocal.

> humedad - humano

18 REGLA IV   Todos los tiempos de los verbos **haber, hacer, hablar, hallar** y **habitar.**

> hubo - hago - hallo - hablo - habito

Reglas de la g

Se escriben con g:

19 REGLA I   Las palabras que empiezan por **in**.

      indígena - ingeniero

      menos: injerto - injertar.

20 REGLA II   Las palabras que empiezan por **gen**.

      genio - gente

      menos: Jenaro - jenable - jengibre.

21 REGLA III   Las palabras que terminan en **gen - gente**.

      imagen - urgente

      menos: comején - jején.

22 REGLA IV   Las palabras que terminan en **ger - gir - igerar**.

      proteger - afligir - aligerar

      menos: mujer - tejer - crujir - desquijerar.

Reglas de la j

Se escriben con j:

23 REGLA I   Las palabras que empiezan por **aje - eje**.

      ajedrez - ejercer

      menos: agencia - agenda - agente.

24 REGLA II   Las palabras que terminan en **aje - eje**.

      coraje - hereje

      menos: protege.

25 REGLA III   Las palabras que terminan en **jero - jera - jería**.

      mensajero - vinajera - relojería

      menos: aligero - flamígero - belígero - ligero.

26 REGLA IV   Las palabras que terminan en **jear**.

      canjear - cojear

Regla de la m

27 REGLA I Se escribe **m** a fin de **sílaba** cuando la sílaba siguiente empieza por **na, ne, ni, no.**

columna - alumno - solemne - amnesia

menos: perenne, y los compuestos de las preposiciones **en - in - con - sin.**

ennoblecer, innovar, connatural, sinnúmero

Reglas de la ll

Se escriben con ll:

28 REGLA I Las palabras que empiezan por **fa - fo - fu.**

falleba - folleto - fullería

29 REGLA II Las palabras que terminan en **illo - illa.**

ovillo - pastilla

Reglas de la x

Se escriben con x:

30 REGLA I Las palabras que empiezan por **extra.**

extraño - extravío

menos: estrada - estrafalario -estragar - estrangular - estratagema - estraza.

31 REGLA II Delante de las sílabas **pla - ple - pli - plo pre - pri - pro.**

explotar - expresar - exprimir

menos: esplendor y espliego.

Reglas de la b

Se escriben con b:

32 REGLA I   Las palabras que empiezan por **al**.

albañil - alboroto

menos: Álvaro - alvéolo - altavoz - altivez.

33 REGLA II   Las palabras que empiezan por **es**.

esbelto - escarbar

menos: esclavo - esclavina - esclavitud.

34 REGLA III   Las palabras que empiezan por **ab - ob**.

abdicar - objeto

35 REGLA IV   Las palabras que empiezan por **bu - bur - bus**.

bujía - burbuja - busto

36 REGLA V   Las palabras que empiezan por **bien**.

bienvenido - bienestar

menos: Viena - viento - vientre.

★ ★
★

37 REGLA VI   Las palabras que terminan en **bilidad**.

amabilidad - posibilidad

menos: movilidad - civilidad.

38 REGLA VII   Las palabras que terminan en **bundo - bunda**.

meditabundo - moribunda

39 REGLA VIII   Las palabras que terminan en **probar**.

aprobar - comprobar

40 REGLA IX   Las terminaciones del pretérito imperfecto de indicativo de los verbos de la 1.ª conjugación (infinitivo en -ar) y también el mismo tiempo del verbo ir (iba - ibas - iba - íbamos - ibais - iban).

amaba - rezábamos - llorabais - iban

Se escriben con v:

41 REGLA I   Las palabras que empiezan por **di**.
divino - diversión
menos: dibujo - dibujar - dibujante.

42 REGLA II   Las palabras que empiezan por **vice - villa**.
viceversa - villanía
menos: billar (juego) y bíceps (músculo).

43 REGLA III   Las palabras que empiezan por **ad**.
adverbio - adversario

44 REGLA IV   Las palabras que empiezan por **lla - lle - llo - llu**.
llave - llevar - llover - lluvia

45 REGLA V   Las palabras que empiezan por **pre - pri - pro - pol**.
prevenir - privar - provecho - polvo
menos: prebenda - probar - probeta - probo.

★ ★
★

46 REGLA VI   Las palabras que terminan en **venir**.
convenir - prevenir

47 REGLA VII   Las palabras que terminan en **tivo - tiva - tivamente**.
caritativo - activa - positivamente

48 REGLA VIII   Las palabras que terminan en **ava - ave - avo**;
eva - eve - evo; iva - ive - ivo.
menos: haba, jarabe, cabo; prueba, debe, sebo;
arriba, caribe, recibo, y algunas más.

49 REGLA IX   Los nombres de los números y las estaciones del año.
octavo, nueve, veinte, verano

Segunda parte: Práctica

Comprende:

I. - Iniciación

Ej. n.°   1 al 49 Sobre las reglas de la primera parte.

»   50 al 52 Sobre el uso de las letras mayúsculas.

»   53 al 55 Sobre los casos particulares del acento.

»   56 al 71 Sobre las palabras homónimas.

II. - Perfeccionamiento

Ej. n.°   72 y 73 Palabras que llevan c final de sílaba.

»   74 y 75 Palabras que llevan g final de sílaba.

»   76 y 77 Palabras que llevan p final de sílaba.

»   78 y 79 Palabras que llevan h intercalada.

»   80 y 81 Palabras formadas por el grupo b-b.

»   82 y 83 Palabras formadas por el grupo v-v.

»   84 al 87 Palabras formadas por el grupo ge-gi.

»   88 al 91 Palabras formadas por el grupo je-ji.

»   92 al 95 Palabras que comienzan por h.

»   96 al 103 Palabras que comienzan por b.

»   104 al 111 Palabras que comienzan por v.

»   112 al 115 Palabras que llevan la letra x.

»   116 al 119 Palabras que llevan la letra ll.

»   120 al 123 Palabras que llevan la letra y.

»   124 al 127 Palabras que llevan la letra z.

Ejercicio n.° 1

REGLA: Llevan acento ortográfico las palabras **agudas** terminadas en **vocal** y en las consonantes **n-s**.

GRUPO					
	allá	café	hincapié	logró	serás
	acá	compás	huracán	marqués	tisú
	alemán	detrás	interés	oración	vellón
	amaré	estarán	jamás	revés	visión
	bambú	flemón	ladrón	sillón	zapatón

DICTADO: La casa del alemán está triste. Con esta caña de bambú me haré un bonito bastón. Me gusta el café con leche. Jamás debemos insultar a nuestros semejantes. El huracán derribó tejados y chimeneas. El ladrón fue apresado pronto. Tengo un gran flemón en el carrillo izquierdo. En este sillón duerme el gato. El compás lo usamos para trazar circunferencias.

DICCIONARIO

bambú: caña muy flexible.
hincapié: insistencia.
huracán: viento muy impetuoso.

interés: provecho, utilidad.
revés: parte opuesta a la cara o haz.
tisú: tela de seda entretejida con hilos de oro o plata.

CONTROL DE FALTAS		
N.°	Fecha	Fecha	Fecha ....
1			
2			
3			
4			
5			
6			
7			
8			
9			
10			

Ejercicio n.º 2

REGLA: Llevan acento ortográfico las palabras **graves** o **llanas** terminadas en consonante, que no sean **n-s**.

GRUPO					
	árbol	bórax	cónsul	frágil	vibrátil
	alférez	cáliz	débil	fértil	ténder
	alcázar	carácter	dátil	lápiz	volátil
	azúcar	cárcel	éter	mármol	púber
	ámbar	cóndor	fósil	móvil	cáncer

DICTADO: En este alcázar hay monumentos de gran interés. Con azúcar y cacao se fabrica chocolate. El cóndor es la mayor de las aves que vuelan. Este muchacho está muy débil. El hierro fundido es muy frágil. El valle del Guadalquivir es fértil. El lápiz es bastante útil. Con mármol se fabrican monumentos. Debemos amar al árbol porque nos reporta muchos beneficios.

DICCIONARIO:

ámbar: resina fósil de color amarillo.

bórax: mineral compuesto de borato de sosa y agua.

frágil: que se rompe con facilidad.

móvil: todo cuerpo en movimiento.

ténder: carruaje unido a la locomotora.

	CONTROL DE FALTAS		
N.º	Fecha	Fecha	Fecha ....
1			
2			
3			
4			
5			
6			
7			
8			
9			
10			

Ejercicio n.° 3

REGLA: Llevan acento ortográfico todas las palabras **esdrújulas,** sin excepción alguna.

GRUPO	ánimo	cáñamo	látigo	periódico
	águila	época	mecánico	sábado
	bárbaro	húmedo	método	úlcera
	bálsamo	índole	miércoles	víctima
	católico	lámina	médico	vértice

DICTADO: La úlcera de estómago le dejará muy débil. En esta lámina haré un rápido resumen de la lección de Física. No tengo ánimo para decirle la verdad. Este café está húmedo. El domador de leones usa el látigo. Hoy llevaré al mecánico el reloj de mamá. Jugando al fútbol hay que ser muy rápido. Escribiré despacio en el método de Caligrafía. Ayer fue sábado.

DICCIONARIO:

bárbaro: cruel, inculto. Antiguamente, extranjero.
índole: inclinación; natural de cada uno.

método: modo de hablar u obrar con orden.
periódico: dícese de la publicación o impreso que se vende periódicamente.

N.°	CONTROL DE FALTAS		
	Fecha	Fecha	Fecha ....
1			
2			
3			
4			
5			
6			
7			
8			
9			
10			

Ejercicio n.° 4

REGLA: Delante de **p** y **b** siempre se escribe **m** y nunca **n**, como: bombilla y lámpara.

GRUPO	ambos	hambre	membrillo	campana
	bomba	hombre	campeón	empleo
	cambio	hombro	limpio	cómputo
	embrollo	hembra	tampoco	impar
	gamba	también	templo	timbre

DICTADO: La lámpara la hizo el carpintero. La ambición rompe el saco. El campeón siempre fue galardonado. El estampido de la bomba no dejó oír el redoble del tambor. Las naves del templo son hermosas. Hay que cambiar la bombilla. Aquel hombre pasaba hambre. Háblame también de los números impares. Debes impedir el tener impaciencia. En diciembre tenemos vacaciones.

DICCIONARIO:

ambos: uno y otro, los dos.
embrollo: enredo, trampa.
compota: dulce de fruta.

ímprobo: trabajo excesivo y continuado.
comparsa: actores teatrales secundarios.

CONTROL DE FALTAS			
N.°	Fecha	Fecha	Fecha ....
1			
2			
3			
4			
5			
6			
7			
8			
9			
10			

Ejercicio n.º 5

REGLA: Se escribe **d** a fin de palabra cuando el plural lo hace en **des**, como: de bondad, bondades.

GRUPO				
	bondad	necesidad	red	humildad
	humanidad	urbanidad	debilidad	honestidad
	perversidad	tempestad	pared	capacidad
	juventud	amistad	hermandad	oportunidad
	voluntad	virtud	caridad	realidad

DICTADO: Junto a la pared hay una bonita lámpara. La bondad es una virtud. La tempestad hizo destrozos en el campo. Te cambio la mitad de las estampas. Ayer pesqué con la red de siempre. El fruto de la vid es la uva. La juventud pronto se pasa. Tengamos caridad para con el prójimo. La verdadera amistad es desinteresada. Acude con puntualidad a tu deber. Visitemos esta bella ciudad.

DICCIONARIO:

humanidad: conjunto de todos los hombres que pueblan la Tierra.

perversidad: gran maldad.

merced: premio, galardón, gracia.

urbanidad: cortesía, buenos modales.

N.º	Fecha	Fecha	Fecha ....
	CONTROL DE FALTAS		
1			
2			
3			
4			
5			
6			
7			
8			
9			
10			

Ejercicio n.° 6

REGLA: Se escribe **z** a fin de palabra cuando el plural lo hace en **ces**, como: de juez, jueces.

GRUPO					
	audaz	tapiz	codorniz	pez	precoz
	perspicaz	secuaz	escasez	paz	rapaz
	cicatriz	perdiz	coz	faz	locuaz
	eficaz	capataz	cruz	feliz	pertinaz
	capaz	aprendiz	luz	esbeltez	ineficaz

DICTADO: El capataz de la casa de campo mató una perdiz. Son palabras monosílabas coz, cruz, luz, pez, paz y faz. La herida dejó una horrible cicatriz. El enfermo ya es capaz de hablar. Hubo un tiempo en que la escasez de agua fue grande. La cruz es la señal del hombre cristiano. El caballo le dio una coz. Hemos de vivir en paz. Con voluntad y tesón soy capaz de hacer este ejercicio.

DICCIONARIO:

perspicaz: que tiene agudeza de vista.
secuaz: que sigue el partido de otro.

faz: cara o rostro.
esbeltez: estatura airosa.
rapaz: muchacho; ave de rapiña.
locuaz: que habla mucho.

CONTROL DE FALTAS			
N.°	Fecha	Fecha	Fecha ....
1			
2			
3			
4			
5			
6			
7			
8			
9			
10			

Ejercicio n.° 7

REGLA: Se escribe **y** final de palabra cuando no sean agudas terminadas en esta vocal.

GRUPO					
	muy	convoy	fray	virrey	Espeluy
	rey	voy	bey	doy	guirigay
	hoy	soy	bocoy	Uruguay	verdegay
	hay	estoy	rentoy	Godoy	grey
	buey	ley	carey	Eloy	¡guay!

DICTADO: El buey muge. Quien hoy siembra, mañana recoge. Salió un convoy con víveres para socorrer a los náufragos. Hay un juego de naipes llamado rentoy. Hoy desfila el rey con sus soldados. Hay que respetar la ley. Con la concha de la tortuga carey se hacen botones. Todo esto es muy bonito. Ahora voy a estudiar. Pintemos esta habitación en color verdegay. Ya estoy sano.

DICCIONARIO:

convoy: lo que se transporta escoltado.

bocoy: tonel muy grande.
bey: gobernador turco.
guirigay: lenguaje confuso.
verdegay: de color verde claro.

	CONTROL DE FALTAS		
N.°	Fecha	Fecha	Fecha ....
1			
2			
3			
4			
5			
6			
7			
8			
9			
10			

Ejercicio n.° 8

REGLA: Después de las consonantes l - n - s y al principio de palabra se escribirá r aunque se lea rr, como: honra, rabia, runrún, sinrazón y sonrojo.

Israel	honrado	enristrar	Enrique
trasroscar	enrarecer	enrabiar	rubio
alrededor	enraizar	enredar	sinrazón
malrotar	enrolar	sonrisa	sonrojar
enredo	enriquecer	enroscar	retrasar

GRUPO

DICTADO: Respirar aire enrarecido perjudica a la salud. La Tierra gira alrededor del Sol. El gato se ha enredado en el ovillo de lana. Los árboles enraizan con facilidad en el parque. Enrique se ha enrolado en la marina. El hombre que es honrado tiene abiertas todas las puertas. La actual Israel es la antigua Palestina. La serpiente boa se enroscó en el grueso árbol. No enrabies al gato.

DICCIONARIO:

malrotar: malgastar, disipar.
enrolar: inscribirse en el ejército.

enristrar: poner los ajos en la ristra.
enrabiar: encolerizar.

	CONTROL DE FALTAS		
N.°	Fecha	Fecha	Fecha ....
1			
2			
3			
4			
5			
6			
7			
8			
9			
10			

Ejercicio n.° 9

REGLA: Se escriben con **mayúscula** los nombres propios, al empezar un escrito y después de punto.

GRUPO	Elena	Zamora	Maladeta	Rector
	María	Júcar	Alcaraz	Cardenal
	Cándido	Guadalquivir	Guadarrama	Velázquez
	Sevilla	Llobregat	Papa	López
	Córdoba	Aneto	Obispo	García

DICTADO: Elena decía la verdad. Este pez es del río Tajo. El pico de Aneto está en los Pirineos. La ciudad de Córdoba tiene amplias avenidas. El Papa vive en Roma. Sevilla tiene un puerto fluvial. El caballo del Cid se llamó Babieca. Ahora voy a estudiar Aritmética. Bella es la Costa Brava catalana. Velázquez fue un insigne pintor. Zamora no se ganó en una hora.

OBSERVACIÓN: Cuando una palabra termina en **io - ia,** sobre la **i** colocaremos un acento, deshaciéndose el diptongo, como: alegría, sacristía, gentío, sombrío, decía. Se convierte en grave o llana.

CONTROL DE FALTAS			
N.º	Fecha	Fecha	Fecha ....
1			
2			
3			
4			
5			
6			
7			
8			
9			
10			

Ejercicio n.º 10

REGLA: Las palabras **derivadas** se escriben con la misma ortografía que las primitivas de donde proceden, menos las derivadas de las palabras que empiezan por el diptongo **hue**.

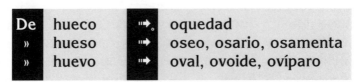

De	hueco	➠	oquedad
»	hueso	➠	oseo, osario, osamenta
»	huevo	➠	oval, ovoide, ovíparo

DICTADO: La casita de campo está ahora habitada. El marinero navega sombrío en un velero. Haré un trajecito para la Caperucita. En esta oquedad hay mucha humedad. Dame la bombillita de la linterna. El cochecito de los niños. Tengo una jaulita para los grillos. El soldadito de plomo tenía cambiado el gorrito. Los nacidos en Huesca se llaman oscenses. Huele se deriva de oler. Los onubenses son andaluces.

OBSERVACIÓN: Ahí hay un hombre que dice: ¡ay!

Ahí... adverbio de lugar
hay... del verbo haber
¡ay!... interjección de dolor.

N.º	CONTROL DE FALTAS		
	Fecha	Fecha	Fecha ....
1			
2			
3			
4			
5			
6			
7			
8			
9			
10			

Ejercicio n.º 11

REGLA: Se escriben con hache **he - ha - has - han,** cuando la palabra siguiente termina en ado - ido - so - to - cho, y cuando le sigue **de.**

GRUPO			
	ha amado	ha sentido	ha poseído
	ha temido	he visto	has puesto
	has dicho	has hecho	han vuelto
	han roto	han saltado	ha escrito
	he de comer	he escrito	ha dormido

DICTADO: Conrado ha dicho que no cambia de opinión. El niño ha hecho los deberes del colegio. Papá ha temido por tu salud. Pedro ha caminado alrededor de la montaña. También yo he sido campeón de gimnasia. Yo he visto la ciudad de Málaga. Hoy he sido vacunado contra la viruela. Han dicho las calificaciones. Han saltado la valla. He de ser más aplicado. Juan ha de examinarse.

Excepciones a esta regla. Examina los siguientes ejemplos:

a) Era un «**as**» admir**ado** por todos.
b) ¡**A** esto le llaman torear!
c) Este pan huele **a** bizco**cho.**

N.º	CONTROL DE FALTAS		
	Fecha	Fecha	Fecha ....
1			
2			
3			
4			
5			
6			
7			
8			
9			
10			

Ejercicio n.º 12

REGLA: Se escriben con **j** los tiempos de los verbos que en el infinitivo no llevan ni **g** ni **j**, como: de decir, dijimos.

<table>
<tr><td rowspan="5">GRUPO</td><td>dije</td><td>bendijo</td><td>extrajo</td></tr>
<tr><td>trajimos</td><td>maldijeron</td><td>traje</td></tr>
<tr><td>atrajeron</td><td>condujo</td><td>trajimos</td></tr>
<tr><td>contrajimos</td><td>sustrajimos</td><td>atrajimos</td></tr>
<tr><td>distraje</td><td>predije</td><td>bendijeron</td></tr>
</table>

DICTADO: Hoy ya no recuerdas lo que dije ayer. El tigre se contrajo para saltar sobre el explorador. Fuimos al campo y nos distrajimos mucho. El buzo extrajo el cuerpo del bañista sin vida. Yo les dije todo lo que sabía. Le trajimos al profesor los deberes. El guía nos condujo a la ignota selva. Los Profetas predijeron hechos futuros. Ya te dije lo que sabía. Me distraje con el lápiz.

DICCIONARIO:

epulón: el que come y se regala mucho.

buzo: hombre que trabaja en el fondo del mar.

predecir: pronosticar.

contraer: encoger; juntar; estrechar.

N.º	Fecha	Fecha	Fecha ....
CONTROL DE FALTAS			
1			
2			
3			
4			
5			
6			
7			
8			
9			
10			

Ejercicio n.º 13

REGLA: Se escriben con **v** los tiempos de los verbos que en el infinitivo no llevan ni **b** ni **v**, como: de tener, tuvimos.

GRUPO	tuve	mantuviste	anduvimos
	tuvimos	obtuve	desanduvimos
	contuve	retuvimos	detuvimos
	contuvieron	sostuvieron	abstuvimos
	entretuvimos	estuve	

DICTADO: Andrés tuvo que marchar pronto. No sé cómo me contuve al insultarme. El domingo nos entretuvimos tomando el sol. La semana pasada obtuve la distinción de excelencia. En el recreo sostuvimos un animado diálogo. En aquella excursión anduvimos bastante. Retuve en la memoria lo dicho. El jueves tuvimos vacaciones. El atleta mantuvo con tesón el primer puesto.

OBSERVACIÓN: El único verbo que no está sujeto a esta regla es el verbo **ir,** porque el pretérito imperfecto de indicativo lo hace con **b**: iba, ibas, íbamos, ibais, iban.

	CONTROL DE FALTAS		
N.º	Fecha	Fecha	Fecha ....
1			
2			
3			
4			
5			
6			
7			
8			
9			
10			

Ejercicio n.º 14

REGLA: Se escriben con **y** los tiempos de los verbos que en el infinitivo no llevan ni **ll** ni **y**, como: de oír, oyendo.

<table>
<tr><td rowspan="5">GRUPO</td><td>cayó</td><td>vaya</td><td>recluyó</td><td>arguyendo</td></tr>
<tr><td>cayendo</td><td>oyó</td><td>recluyendo</td><td>concluyó</td></tr>
<tr><td>yergo</td><td>oyendo</td><td>huyó</td><td>concluyendo</td></tr>
<tr><td>yerro</td><td>poseyó</td><td>huyendo</td><td>obstruyó</td></tr>
<tr><td>haya</td><td>poseyendo</td><td>arguyó</td><td>obstruyendo</td></tr>
</table>

DICTADO: La perdiz cayó en la trampa. La torre inclinada de Pisa se está cayendo muy lentamente. En medio del jardín se recluyó un vencejo herido. Este edificio se concluyó hace pocos meses. No es verdad lo que estoy oyendo. El león huyó cuando se vio acorralado por los cazadores. Quizá no haya víctimas. El clavel se yergue airoso. Estoy concluyendo la redacción.

OBSERVACIÓN:

He aquí cuatro sustantivos fáciles de recordar que se escriben con **h** y **b**:

hambre - hombre - hombro - hembra

N.º	CONTROL DE FALTAS Fecha	Fecha	Fecha ....
1			
2			
3			
4			
5			
6			
7			
8			
9			
10			

Ejercicio n.º 15

REGLA: Se escriben con **h** las palabras que empiezan por **hipo, hidro, hiper,** como: hipócrita, hidrógeno.

GRUPO			
	hidrógeno	hipócrita	hipérbola
	hidroavión	hipopótamo	hiperdulía
	hidroterapia	hipoteca	hipertrofia
	hidrofobia	hipotenusa	hiperbóreo
	hidrocéfalo	hipótesis	hipermetropía

DICTADO: El lado mayor de un triángulo rectángulo se llama hipotenusa. Ayer amerizó en el puerto un hidroavión. Este hombre ha sido un hipócrita, porque ha mentido a sabiendas. La hipérbola es una línea curva. El hidrógeno es un gas que forma parte de la atmósfera. El hipopótamo vive en los ríos de África. Demuestra este ejercicio partiendo de una hipótesis.

DICCIONARIO:

hidroterapia: curar por medio del agua.
hipótesis: suposición.

hiperdulía: culto debido a la Virgen.
hipertrofia: aumento anormal de un órgano.
hiperbóreas: regiones muy septentrionales y sus habitantes.

	CONTROL DE FALTAS		
N.º	Fecha	Fecha	Fecha ....
1			
2			
3			
4			
5			
6			
7			
8			
9			
10			

Ejercicio n.° 16

REGLA: Se escriben con **h** las palabras que empiezan por **hue, hui, hia, hie,** como: hueco, huida, hiato, hielo.

GRUPO				
	huelga	huésped	hialino	hiena
	huella	huevo	hiato	hierba
	huerta	huérfano	hiedra	hierbabuena
	huero	hueste	hiel	hierro
	hueso	huir	hielo	hierbajo

DICTADO: La hiedra que sembramos el año pasado llegó ya a lo alto de la pared. En aquel hueco u oquedad hay pequeñas estalactitas y estalagmitas. En las huertas se cultivan verduras y árboles frutales. En este hotel hay bastantes huéspedes. La hiena es repugnante. Coloca el hielo en la nevera. La hierba crece hermosa en los prados. Los animales que ponen huevos se llama ovíparos.

DICCIONARIO:

huero: vacío.
hueste: ejército, tropa en campaña.
hialino: semejante al vidrio.

hiena: mamífero carnicero, de vida nocturna, que se alimenta de carroña.
huésped: persona alojada en casa ajena.

CONTROL DE FALTAS			
N.°	Fecha	Fecha	Fecha ....
1			
2			
3			
4			
5			
6			
7			
8			
9			
10			

Ejercicio n.° 17

REGLA: Se escriben con **h** las palabras que empiezan por **hu** más **m** más **vocal**, como: humedad, humo.

GRUPO	humanidad	humildad	humo
	humano	humillar	humanista
	humareda	humor	humorada
	humear	humedecer	húmedo
	húmero	humilladero	humedad

DICTADO: El fuego del monte produjo una intensa y asfixiante humareda. Humanidad es el conjunto de hombres que habitan en la Tierra. Al arder aquellas hierbas produjeron gran humareda. Esta habitación es muy húmeda. El húmero es el hueso del antebrazo. Cúrame esta herida humedeciendo el algodón en alcohol. El ojo humano posee los humores acuoso y vítreo.

DICCIONARIO:

humildad: virtud consistente en conocer nuestra miseria y bajeza.

humilladero: cruz o imagen que suele haber en la entrada de los pueblos.
humus: mantillo o tierra fértil.
humillar: abatir el orgullo.

	CONTROL DE FALTAS		
N.°	Fecha	Fecha	Fecha ....
1			
2			
3			
4			
5			
6			
7			
8			
9			
10			

Ejercicio n.º 18

REGLA: Se escriben con **h** todos los tiempos de los verbos haber, hacer, hablar, hallar y habitar.

<table>
<tr><td rowspan="5">GRUPO</td><td>hay</td><td>hemos</td><td>haremos</td><td>hagamos</td></tr>
<tr><td>hago</td><td>hicimos</td><td>hablaré</td><td>hablemos</td></tr>
<tr><td>hablaba</td><td>hablas</td><td>hallaría</td><td>hallaba</td></tr>
<tr><td>hallado</td><td>hallan</td><td>habitábamos</td><td>habitaré</td></tr>
<tr><td>habito</td><td>había</td><td>hube</td><td>hallé</td></tr>
</table>

DICTADO: En clase no debemos hablar. Ayer hubo un incendio. Ya he hecho los deberes de mañana. Hemos hallado el lápiz que perdimos jugando. En esa casa habitan mis tíos. Voy a hacer una buena acción. No hables demasiado. Hagamos en este caso nuestra obligación. Hemos hallado la solución exacta de este problema. Si hablas claro entenderé lo que dices.

OBSERVACIÓN: ¿Cómo distinguir los nombres **comunes abstractos** de los **adjetivos calificativos**? Muy sencillo: si la palabra analizada concuerda con persona - animal - cosa, será adjetivo y si no concierta, nombre. Probad con esperanza, memoria, voluntad (nombres) y con estudioso, inteligente, ligero (adjetivos).

N.º	Fecha	Fecha	Fecha ....
1			
2			
3			
4			
5			
6			
7			
8			
9			
10			

CONTROL DE FALTAS

Ejercicio n.º 19

REGLA: Se escriben con **g** las palabras que empiezan por **in**, menos: injerto, injertar, injertado.

GRUPO °		
indígena	ingenio	indulgente
indigente	ingente	ingeniar
ingeniero	ingenuo	ingénito
ingerir	inteligencia	ingenuidad
indigesto	insurgente	indigestión

DICTADO: Los ingenuos son personas sinceras y sin doblez. Por comer con exceso has padecido una indigestión. Ahora subiremos a la cumbre de aquella ingente montaña. El nuevo ingeniero nos ha dado la llave del laboratorio para que inspeccionemos la marcha de las obras. El juez fue indulgente con ese reo. Llamamos indígenas a los naturales de un país.

DICCIONARIO:

indigente: falto de recursos económicos.
ingente: enorme, muy grande.

insurgente: rebelde, insurrecto.
ingeniar: inventar.
ingenuo: sincero, sin doblez.
ingerir: introducir, incluir.

	CONTROL DE FALTAS		
N.º	Fecha	Fecha	Fecha ....
1			
2			
3			
4			
5			
6			
7			
8			
9			
10			

Ejercicio n.° 20

REGLA: Se escriben con **g** las palabras que empiezan por **gen**, menos: Jenaro, jenable y jengibre.

GRUPO			
genio	gendarme	gentilicio	gentileza
general	genitivo	gentuza	generación
gente	genovés	género	generalizar
gentil	genuflexión	génesis	género
genealogía	generoso	gentío	genuino

DICTADO: El bravo general derrotó a los insurgentes en una sola batalla. Nuestro amigo Jenaro se perdió entre el gentío. El gendarme vigila el orden. El generoso genovés donó un importante donativo para los huérfanos de la epidemia. El origen de los apellidos los estudia la Genealogía. Los accidentes del nombre son género, número y caso. La generosidad es una bella cualidad.

DICCIONARIO:

gendarme: policía civil de Francia.
genuflexión: acción de doblar la rodilla.

gentuza: personas groseras.
génesis: origen, principio de las cosas.
gentil: gallardo, gracioso.
genuino: puro, propio, natural.

	CONTROL DE FALTAS		
N.°	Fecha	Fecha	Fecha ....
1			
2			
3			
4			
5			
6			
7			
8			
9			
10			

Ejercicio n.º 21

REGLA: Se escriben con **g** las palabras que terminan en **gen**, **gente**, menos: comején y jején.

GRUPO				
	origen	agente	regente	divergente
	margen	urgente	ingente	astringente
	virgen	exigente	pungente	surgen
	imagen	vigente	contingente	insurgente
	aborigen	indulgente	convergente	tangente

DICTADO: El origen del volcán Vesubio es muy remoto. Has conseguido una imagen perfecta. El agente de ventas ha sido escogido con la máxima pulcritud. El actual o vigente texto de Geografía es muy eficaz. Dos líneas rectas pueden ser entre sí convergentes por un extremo y divergentes por el otro. El profesor de gimnasia es muy exigente. No escribas en el margen.

DICCIONARIO:

aborigen: habitante primitivo de un país.
vigente: que está en vigor:

ingente: enorme, muy grande.
pungente: que pincha.
contingente: posible.
convergir: concurrir en un punto dos líneas.

N.º	CONTROL DE FALTAS		
	Fecha	Fecha	Fecha ....
1			
2			
3º			
4			
5			
6			
7			
8			
9			
10			

Ejercicio n.º 22

REGLA: Se escriben con **g** las palabras que terminan en **ger**, **gir**, **igerar**, menos: mujer, tejer, crujir y desquijerar.

GRUPO			
acoger	sobrecoger	rugir	morigerar
escoger	recoger	regir	refrigerar
proteger	corregir	surgir	sumergir
coger	afligir	fingir	elegir
encoger	mugir	aligerar	transigir

DICTADO: Mi trompo gira más veloz que el tuyo. Hemos acogido a un huérfano. Vamos a escoger los juguetes de Enrique. Hay que proteger a los débiles. Esta habitación está refrigerada en verano. En la comida y bebida debemos ser morigerados. Aligera la bolsa de objetos inútiles. Las vacas mugen y los leones rugen. Ahora vamos a corregir la redacción de ayer.

DICCIONARIO:

afligir: causar congoja o pena.
regir: gobernar, dirigir.
surgir: aparecer, brotar el agua.

morigerar: moderar, templar, refrenar los excesos.
refrigerar: refrescar.
corregir: enmendar lo errado o equivocado.

	CONTROL DE FALTAS		
N.º	Fecha	Fecha	Fecha ....
1			
2			
3			
4			
5			
6			
7			
8			
9			
10			

Ejercicio n.º 23

Se escriben con **j** las palabras que empiezan por **aje**, **eje**, menos: agencia, agenda y agente.

GRUPO			
	ajedrez	eje	ejercer
	ajenjo	ejecución	ejercicio
	ajeno	ejecutar	ejército
	ajete	ejecutivo	ejemplar
	ajetreo	ejemplo	ejemplaridad

DICTADO: Hemos estado ajenos a esta jugada de ajedrez. Resuelve estos ejercicios consignando bastantes ejemplos. La orquesta ha ejecutado una bella pieza musical. En la agenda he anotado el vigente horario escolar. Esta salsa de ajete me ha gustado mucho. El ejército desfiló disciplinadamente y con marcialidad. Con este ajetreo es imposible entenderse. La conducta debe ser ejemplar.

DICCIONARIO:

agenda: librito para hacer apuntes.
ajenjo: planta olorosa de jardín.
ajete: salsa de ajo.

ajeno: lo que es de otra persona.
ejercer: practicar un oficio o carrera.
ejemplo: hecho digno de imitación. Símil.

CONTROL DE FALTAS		
N.º Fecha	Fecha	Fecha ....
1		
2		
3		
4		
5		
6		
7		
8		
9		
10		

Ejercicio n.º 24

Se escriben con **j** las palabras que terminan en **aje**, **eje**, menos: protege.

GRUPO					
	traje	personaje	masaje	hereje	esqueje
	linaje	viaje	encaje	teje	menaje
	coraje	oleaje	potaje	maneje	abordaje
	garaje	estiaje	vendaje	eje	paje
	mensaje	embalaje	paisaje	fleje	celaje

DICTADO: El mensaje de aquel ilustre personaje fue muy aplaudido. Había un oleaje tan enorme, que fue imposible realizar el abordaje del buque siniestrado. En las comarcas muy cálidas el estiaje de los ríos y arroyos es muy grande. Desde aquella montaña se divisa un paisaje maravilloso. El encaje de este bello tapiz es perfecto. El paje del rey es muy servicial. Este árbol nos protege del sol.

DICCIONARIO:

linaje: origen de las familias.
estiaje: caudal mínimo de un río durante el verano.

paisaje: extensión de terreno que se ve desde un sitio.
paje: criado que acompaña a sus amos.
hereje: cristiano que se separa de la Iglesia católica.

N.º	Fecha	Fecha	Fecha ....
	CONTROL DE FALTAS		
1			
2			
3			
4			
5			
6			
7			
8			
9			
10			

Ejercicio n.° 25

REGLA: Se escriben con **j** las palabras que terminan en **jero, jera, jería**, menos: ligero, flamígero y belígero.

GRUPO			
	pasajero	relojero	cerrajería
	extranjero	agujero	granujería
	mensajero	vinajera	relojería
	granjero	encajera	navajería
	cajero	brujería	cerrajero

DICTADO: El tren iba abarrotado de pasajeros. Las revistas extranjeras están ilustradas con bellos dibujos. He comprado un reloj en aquella famosa relojería. El honrado cajero ha sido felicitado. El mensajero llegó sin novedad a su destino. El granjero ha logrado una espléndida cosecha de avena y maíz. Introduce la canica verde en este agujero. La encajera hizo un hermoso tapiz.

OBSERVACIÓN:

Mi... adjetivo posesivo (acompaña al nombre).
Mí... pronombre posesivo (sustituye al nombre).

Ejemplo: Paseo con **mi** hermano. Este juguete es para **mí.**

	CONTROL DE FALTAS		
N.°	Fecha	Fecha	Fecha ....
1			
2			
3			
4			
5			
6			
7			
8			
9			
10			

Ejercicio n.º 26

REGLA: Se escriben con **j** las palabras que terminan en **jear**, como: canjear y cojear.

GRUPO			
	callejear	gorjear	ojear
	canjear	granjear	pintarrajear
	cojear	lisonjear	rojear
	flojear	pajear	tartajear
	forcejear	hojear	zancajear

DICTADO: Vamos a canjear los vales de la tómbola. No debes flojear en
los estudios. Las buenas amistades granjean las buenas costumbres. Debemos rehusar lisonjear las malas acciones. El
canto o gorjeo del ruiseñor es muy armonioso. Deja de callejear
y aplícate en los estudios. Esta quincena te han suspendido
porque has flojeado en los estudios.

OBSERVACIÓN: El... artículo determinado.
Él... pronombre personal.

Ejemplos: El perro del hortelano. — El libro grande es de él.

(El artículo va colocado siempre delante del sustantivo, y el pronombre, en su lugar.)

	CONTROL DE FALTAS		
N.º	Fecha	Fecha	Fecha ....
1			
2			
3			
4			
5			
6			
7			
8			
9			
10			

Ejercicio n.º 27

Se escribe **m** a fin de sílaba cuando la siguiente empieza por **na, ne, ni, no,** menos: perenne y otras, como: ennoblecer, innovar.

GRUPO			
	alumno	himno	amnesia
	solemne	indemnizar	amnistía
	columna	ómnibus	omnívoro
	calumnia	indemne	somnolencia
	gimnasia	omnipotente	insomnio

DICTADO: En la clase de sexto hay veintiséis alumnos. Las columnas de esta iglesia son muy altas. Practicando la gimnasia se fortalece el cuerpo. Animales omnívoros son los que se alimentan de carne y vegetales. Son muy solemnes los actos que se celebrarán con motivo de la venida del Gobernador. Como me has roto la bicicleta, me has de indemnizar los desperfectos.

DICCIONARIO:

indemnizar: resarcir de algún daño.
ómnibus: carruaje público para muchas personas.

indemne: libre de daño.
amnesia: pérdida de la memoria.
amnistía: perdón general.
insomnio: vigilia, desvelo.

	CONTROL DE FALTAS		
N.º	Fecha	Fecha	Fecha ....
1			
2			
3			
4			
5			
6			
7			
8			
9			
10			

Ejercicio n.º 28

REGLA: Se escriben con **ll** las palabras que empiezan por **fa, fo, fu,** como: falleba, folleto y fullería.

GRUPO			
	falleba	fallo	folletista
	fallar	fallido	fuelle
	fallecer	follaje	fullería
	fallecimiento	folleto	fullero
	falla	folletín	follón

DICTADO: Asegura la falleba de la ventana para impedir que la abra el viento. Este folleto ilustrado nos explica todo lo relativo a las vacaciones de verano. En las herrerías se utiliza el fuelle para avivar la llama de la fragua. Todos han sentido mucho el fallecimiento del ilustre sabio. Los niños que en sus juegos son fulleros pierden las amistades. Apunta bien la escopeta, porque vas a fallar.

DICCIONARIO:

follón: flojo, cobarde; jaleo.
falleba: palanca de hierro con que se cierran las puertas y ventanas.

fallo: sentencia, equivocación.
follaje: conjunto de hojas de los vegetales.
folleto: obra poco extensa.
fullería: trampa en el juego.

	CONTROL DE FALTAS		
N.º	Fecha	Fecha	Fecha ....
1			
2			
3			
4			
5			
6			
7			
8			
9			
10			

Ejercicio n.º 29

REGLA: Se escriben con **ll** las palabras que terminan en **illo**, **illa**, como: cuchillo y pastilla.

GRUPO				
	chiquillo	ovillo	puntilla	gitanilla
	tresillo	grillo	pastilla	coronilla
	pestillo	pitillo	costilla	molinillo
	pillo	membrillo	cerilla	canastilla
	barquillo	colilla	semilla	castillo

DICTADO: Coge el Diccionario y léeme lo que significa tresillo y pastilla. Muele el café en el molinillo verde. Las plantas de gitanillas dan flores muy hermosas y de variados colores. Todavía no siembres las semillas. El membrillo en dulce está muy bueno. Echa el pestillo de la ventana. Las colillas de los pitillos debemos depositarlas en los ceniceros. Clava la puntilla derecha.

DICCIONARIO:

tresillo: conjunto de tres cosas.
pillo: pícaro, astuto, sagaz.
ovillo: bola de hilo o lana devanada.

puntilla: encaje hecho en puntas; puñal corto y afilado.
pestillo: pasador o cerrojillo.

CONTROL DE FALTAS			
N.º	Fecha	Fecha	Fecha ....
°1			
2			
3			
4			
5			
6			
7			
8			
9			
10			

Ejercicio n.º 30

Se escriben con **x** las palabras que empiezan por **extra,** menos: estrada, estrafalario, estragar, estrangular, estratagema y estraza.

GRUPO			
	extraer	extraviar	extravagancia
	extracto	extranjero	extrajudicial
	extravío	extraordinario	extradición
	extracción	extrañar	extralimitar
	extraño	extramuros	extrarradio

DICTADO: Este perfume es un extracto de jazmín. La extracción de la muela se realizó sin dificultad. He extraviado la letra del solemne himno que íbamos a cantar mañana. La fuerza que desarrolla una hormiga es extraordinaria. Es muy extraño lo que ayer ha ocurrido en la calle. Ese extranjero es francés. Esto no debe extrañarte. Con una valiente estratagema se ganó la batalla.

DICCIONARIO:

extracto: sustancia que se extrae de una cosa; resumen de un escrito

extramuros: fuera del recinto de una población.

extrafalario: desaliñado, raro.

extraño: de distinta nación, familia o profesión. Raro, singular.

N.º	Fecha	Fecha	Fecha ....
1			
2			
3			
4			
5			
6			
7			
8			
9			
10			

CONTROL DE FALTAS

Ejercicio n.º 31

REGLA: Se escribe **x** delante de las sílabas **pla, ple, pli, plo** y **pre, pri, pro,** menos: esplendor, esplendidez y espliego.

GRUPO			
	explanada	explotar	expresión
	expletivo	explosión	exprimidera
	explicar	explosivo	exprimir
	explorar	exprés	expropiación
	explayar	expresar	expropiar

DICTADO: El polo Sur ha sido explorado por valientes y arriesgados hombres de ciencia. La explosión de la bomba originó horrorosos estragos. Debemos expresar con la máxima claridad nuestras explicaciones. El tren expreso corre a gran velocidad por la inmensa llanura. Me han explotado el globo. La exprimidera se ha averiado. Los modales correctos y la buena expresión nos abren las puertas.

DICCIONARIO:

expletivo: dícese de las palabras que entran en una frase sin ser necesarias.

expropiar: desposeer legalmente.
espliego: planta muy aromática.
exprimir: extraer el jugo por presión o torsión.

	CONTROL DE FALTAS		
N.º	Fecha	Fecha	Fecha ....
1			
2			
3			
4			
5			
6			
7			
8			
9			
10			

Ejercicio n.º 32

REGLA: Se escriben con **b** las palabras que empiezan por **al**, menos: Álvaro, alvéolo, altavoz y altivez.

GRUPO				
	alba	albóndiga	albornoz	alfabeto
	albañil	albéitar	albedrío	almíbar
	albacea	alberca	albergue	albahaca
	alboroto	albaricoque	alcoba	alborozo
	álbum	albarda	aldabón	albufera

DICTADO: La alberca ha sido limpiada ayer. En este albergue dormía Antonio. El aldabón ha sido reparado. El albaricoque está en almíbar. El gentío promovió un alboroto. Este hombre ha pasado frío en la alcoba. Ponte el albornoz al salir del baño. El álbum de Pedro está completo. Este asno tiene la albarda torcida. Hoy comeremos albóndigas y membrillos. Nunca tengamos altivez. La albahaca es una planta aromática.

OBSERVACIÓN:

No olvidemos nunca los sonidos ge-gi y gue-gui.
Así, escribiremos **genio** y **gitano,** y no guenio y guitano.
Y también **guerra** y **guitarra,** y no gerra y gitarra.

	CONTROL DE FALTAS		
N.º	Fecha	Fecha	Fecha ....
1			
2			
3			
4			
5			
6			
7			
8			
9			
10			

Ejercicio n.º 33

REGLA: Se escriben con **b** las palabras que empiezan por **es**, menos: esclavo, esclavina, esclavitud, esquivar, eslavo, espolvorear, esteva, estival y algunas pocas más.

GRUPO	estribillo	escabullir	eslabón	estorbar
	esbirro	escarabajo	espabilar	escabroso
	esbozar	escarbar	esbelto	escorbuto
	escabeche	escoba	escribano	estabilidad
	escabel	escribir	estribación	estibar

DICTADO: Apoya los pies en este escabel. Repíteme el estribillo de esa canción. Hay que comprar otra escoba. Pon el pescado en escabeche. Es necesario que te espabiles. Andrés ha esbozado una ligera sonrisa. La bondad del esbelto rey ha sido muy elogiada. He tirado el eslabón sobrante de la cadena del perro. Evitaremos en la vida el ser estrambóticos. No seamos esclavos de la pasión.

DICCIONARIO:

esbirro: alguacil, corchete.
escabel: banquillo para apoyar los pies.

estrambótico: extravagante, estrafalario.
eslabón: anillo de la cadena.
escabroso: desigual, áspero, peligroso

N.º	Fecha	Fecha	Fecha ....
1			
2			
3			
4			
5			
6			
7			
8			
9			
10			

CONTROL DE FALTAS

Ejercicio n.º 34

REGLA: Se escriben con **b** las palabras que empiezan por **ab, ob**, como: abdicar y objeto.

GRUPO			
abdicar	absurdo	objetivo	obtuso
abnegado	ábside	objeto	obsequio
absoluto	absolución	obtener	observación
absolver	obcecación	obtención	obsesión
absorber	objeción	obturar	obstinarse

DICTADO: El ábside de la iglesia hay que repararlo y dejarlo limpio. Es absurda la luz que aquí se emplea. El juez absolvió al reo por ser inocente. Hemos cumplido el objetivo que nos marcamos. El negro es un color absoluto. Tira ahora mismo ese objeto. Para obtener buenas notas harás todos tus deberes con limpieza. Ángulo obtuso o con más de noventa grados.

OBSERVACIONES:

Diremos: España **e** Italia. — *No diremos:* España y Italia.
Diremos: Uno **u** otro. — *No diremos:* Uno o otro.

Para no confundir la conjunción **o** con el cero, le pondremos acento si va entre números. Ejemplo: 4 ó 5.

CONTROL DE FALTAS			
N.º	Fecha	Fecha	Fecha ....
1			
2			
3			
4			
5			
6			
7			
8			
9			
10			

Ejercicio n.º 35

REGLA: Se escriben con **b** las palabras que empiezan por **bu, bur, bus,** como: bujía, burbuja y busto.

GRUPO				
	bujía	buque	busto	burgués
	bula	buñuelo	buscapleitos	bursátil
	búfalo	buscar	burbuja	burro
	burdo	butaca	buscapié	burlón
	bufete	buscavidas	burla	bufanda

DICTADO: El búfalo es un animal oriundo o natural de América. El buque ha sido reparado para obtener mayor rendimiento. Los habitantes de un burgo se llaman burgueses. La burbuja alborotó la paz de las limpias aguas de la alberca. Coloca la albarda en el burro del capataz. Este busto fue la burla de todos. Evitemos hacer burla de los defectos de nuestros semejantes.

DICCIONARIO:

bujía: vela pequeña.
burdo: tosco, basto.
bursátil: relativo a operaciones de la Bolsa.

bufón: gracioso en las óperas italianas.
bulbo: parte de la raíz en algunas plantas.

N.º	CONTROL DE FALTAS		
	Fecha	Fecha	Fecha ....
1			
2			
3			
4			
5			
6			
7			
8			
9			
10			

Ejercicio n.º 36

REGLA: Se escriben con **b** las palabras que empiezan por **bien**, menos: Viena, viento y vientre.

GRUPO			
	bien	bienhadado	bienvenido
	bienal	bienhechor	bienvivir
	bienandanza	bienio	bienhablado
	bienaventuranza	bienquerer	bienandante
	bienestar	bienquistar	bienmandado

DICTADO: No está bien lo que ahora has hecho. Sea usted bienvenido a esta casa de campo. El bienhechor de este colegio es de Madrid. Una persona bienaventurada es afortunada y feliz. El conjunto de dos años se llama bienio. El ayuntamiento dará la bienvenida al ilustre hijo predilecto. Trabajando de jóvenes labraremos nuestro bienestar de ancianos. La capital de Austria es Viena.

DICCIONARIO:

bienal: que dura dos años.
bienhechor: que hace bien a otro.

bienquistar: poner bien a varios entre sí
bienvenida: parabién por la feliz llegada.

N.º	CONTROL DE FALTAS		
	Fecha	Fecha	Fecha ....
1			
2			
3			
4			
5			
6			
7			
8			
9			
10			

Ejercicio n.º 37

REGLA: Se escriben con **b** las palabras que terminan en **bilidad**, menos: movilidad y civilidad.

<table>
<tr><td rowspan="5">GRUPO</td><td>amabilidad</td><td>impasibilidad</td><td>responsabilidad</td></tr>
<tr><td>contabilidad</td><td>notabilidad</td><td>respetabilidad</td></tr>
<tr><td>debilidad</td><td>posibilidad</td><td>habilidad</td></tr>
<tr><td>durabilidad</td><td>estabilidad</td><td>credibilidad</td></tr>
<tr><td>infalibilidad</td><td>volubilidad</td><td>permeabilidad</td></tr>
</table>

DICTADO: Este alumno es una notabilidad, ya que siempre estudia para obtener buenas notas. Con alegría y amabilidad se ganó el campeonato. La estabilidad del esbelto buque es perfecta. Creo en la posibilidad de la abdicación del rey absoluto. Debido a la contabilidad que estudió ese hombre ha conseguido un buen empleo. La impasibilidad ante las desgracias ajenas es de cobardes.

DICCIONARIO:

infalibilidad: que no puede engañar ni engañarse.
impasibilidad: incapaz de padecer.

estabilidad: firmeza, permanencia.
volubilidad: inconstante, versátil.
posibilidad: aptitud o facultad.
habilidad: gracia, destreza.

N.º	Fecha	Fecha	Fecha ....
CONTROL DE FALTAS			
1			
2			
3			
4			
5			
6			
7			
8			
9			
10			

Ejercicio n.° 38

REGLA: Se escriben con **b** las palabras que terminan en **bundo, bunda,** como: meditabundo y moribunda.

GRUPO			
	cogitabundo	moribundo	gemebundo
	errabundo	nauseabundo	sitibundo
	furibundo	tremebundo	pudibundo
	meditabundo	ragabundo	barahúnda

DICTADO: Aquel hombre es un vagabundo. Se le hizo un bien a aquel furibundo loco llevándole al hospital. Este niño está triste y meditabundo porque no ha conseguido ninguna distinción. El olor que despide este pescado es nauseabundo. Esta pintura que se expone ahora es tremebunda. No puede la ciencia hacer nada por este hombre porque ya está moribundo.

DICCIONARIO:

nauseabundo: que causa náuseas.
tremebundo: espantable, horrendo.

gemebundo: que gime.
vagabundo: que anda errante.
cogitabundo: muy pensativo.
sitibundo: expresión poética que significa tener sed.

N.°	Fecha	Fecha	Fecha ....
	CONTROL DE FALTAS		
1			
2			
3			
4			
5			
6			
7			
8			
9			
10			

Ejercicio n.º 39

REGLA: Se escriben con **b** las palabras que terminan en **probar,** como: aprobar y comprobar.

probar	pruebo	pruebe
aprobar	aprobaba	apruebo
comprobar	comprobaré	reprobado
desaprobar	desaprobaría	desapruebo
reprobar	repruebo	reprobaría

DICTADO: He probado con el cambio y no me ha resultado muy bien. Esta quincena he aprobado todas las asignaturas. Vamos a comprobar si esta linterna sirve aún. Papá también desaprueba tus nuevas amistades. Conrado ha comprobado que el tubo de ensayo está limpio. Es nuestra obligación reprobar las malas acciones. Mañana probaré venir al colegio por otro camino.

DICCIONARIO:

probar: catar; examinar la calidad de una cosa.

aprobar: calificar como bueno.
comprobar: confirmar.
desaprobar: no consentir una cosa.
reprobar: no aprobar; condenar.

	CONTROL DE FALTAS		
N.º	Fecha	Fecha	Fecha ....
1			
2			
3			
4			
5			
6			
7			
8			
9			
10			

Ejercicio n.º 40

GRUPO			
	caminaba	hilaban	iba
	amabas	hojeaba	ibas
	bogaba	helaba	íbamos
	bordábamos	valorábamos	ibais
	hallabais	vendabais	iban

DICTADO: En la fábrica se hilaba un tapiz muy bonito para el Palacio Real. Cantábamos con alegría la llegada de la Navidad. Tu bienhechor estaba muy complacido con las notas que has obtenido. El avión de pasajeros volaba a poca altura. Ayer vi que ibas muy elegante. Andrés hojeaba con cuidado el diccionario. Los cazadores iban muy alegres camino del coto de caza.

OBSERVACIÓN:

No olvidemos nunca que *dos* y *seis* no llevan acento, pero sí lo llevan veintidós, dieciséis, veintiséis, etc., o sea, los números compuestos de dos y seis.

	CONTROL DE FALTAS		
N.º	Fecha	Fecha	Fecha ....
1			
2			
3			
4			
5			
6			
7			
8			
9			
10			

Ejercicio n.° 41

REGLA: Se escriben con **v** las palabras que empiezan por **di**, menos: dibujo, dibujar, diabólico, disturbio.

GRUPO				
	divagar	diversión	divisorio	divieso
	dividir	divorcio	divo	diversidad
	divinidad	divulgar	divertir	dividir
	diván	divisible	divisor	diapositiva
	diverso	divergente	divisa	diluviar

DICTADO: Si ello os divierte, haré diversos juegos de malabarismo. Los términos de una división se llaman dividendo y divisor. Existen diversas clases de hojas. No debemos divulgar los defectos de nuestros semejantes. Ha surgido una divergencia entre los diversos miembros del tribunal. Desde este balcón se divisa un espléndido panorama. Divulga estos folletos. El divo fue aplaudido.

DICCIONARIO:

divagar: separarse del asunto de que se trata.

divinidad: ser supremo; Dios.

diván: sofá.

divorcio: separación judicial de dos casados.

divo: cantante de gran mérito.

divisa: señal exterior para distinguir objetos.

N.°	Fecha	Fecha	Fecha ....
CONTROL DE FALTAS			
1			
2			
3			
4			
5			
6			
7			
8			
9			
10			

Ejercicio n.º 42

REGLA: Se escriben con **v** las palabras que empiezan por **vice, villa,** menos: billar (juego) y bíceps (músculo).

GRUPO			
	vicealmiranta	villa	Villalba
	vicealmirante	villanaje	Villadiego
	vicecanciller	villancico	Villagarcía
	vicecónsul	villanería	Villanueva
	viceversa	villano	Villaverde

DICTADO: En esta villa se cantan hermosos y bonitos villancicos por la Navidad. En la provincia de Córdoba existe un pueblo llamado Villanueva del Rey. El vicealmirante de la escuadra visitó ayer las nuevas embarcaciones. El producto no varía si multiplicamos un entero por un decimal o viceversa. Una persona indigna y ruin es un villano. Poseo un chalé o villa en el campo.

DICCIONARIO:

vicealmirante, vicecanciller, vicecónsul: el que hace las veces de almirante, canciller y cónsul.

viceversa: al contrario, al revés.
vicealmiranta: nave en la que viaja el segundo jefe de la escuadra.
villa: casa de campo. Población que tiene algunos privilegios.

CONTROL DE FALTAS			
N.º	Fecha	Fecha	Fecha ....
1			
2			
3			
4			
5			
6			
7			
8			
9			
10			

Ejercicio n.º 43

REGLA: Se escriben con **v** las palabras que empiezan por **ad**, como: adverbio y adversario.

GRUPO			
	advenedizo	adversario	advertir
	adviento	adversidad	advocación
	advenir	adverso	advenimiento
	adventicio	advertencia	adhesivo
	adverbio	advertido	adarve

DICTADO: Es absurdo advertir que quien mal anda mal acaba. La suerte me ha sido adversa estos últimos días. Tampoco se le hizo la advertencia ayer. Mañana hablaremos sobre el adverbio y sus diversas partes. La urbanidad nos advierte y aconseja la forma de comportarnos en sociedad. El adversario no pudo conseguir su objetivo. Para ahora y siempre quedas advertido de tus errores.

DICCIONARIO:

adversidad: suceso desgraciado.
advertir: prevenir, aconsejar.
adviento: tiempo anterior a la venida del Señor.

advocación: título que se da a una capilla o altar.
adversario: persona contraria o enemiga.

	CONTROL DE FALTAS		
N.º	Fecha	Fecha	Fecha ....
1			
2			
3			
4			
5			
6			
7			
8			
9			
10			

Ejercicio n.º 44

REGLA: Se escriben con **ll** las palabras que empiezan por **lla, lle, llo, llu**, como: llave, llevar, llover y lluvia.

GRUPO			
	llave	llevador	lluvia
	llavero	llevar	lluvioso
	llavín	llover	llamativo
	llevado	llovedizo	llovido
	llevadero	llovizna	llueve

DICTADO: Hemos llevado las bujías a la villa de ese hombre. Hoy parece que va a llover. El agua llovediza es buena para lavar ropa, porque está libre o exenta de impurezas. Si mañana el tiempo está lluvioso, no divisaremos el panorama. Ya he repartido las llaves de los diversos bufetes de la oficina. La lluvia de ahora beneficia mucho al campo. Observa el arco iris que ha motivado esta llovizna.

OBSERVACIÓN: **Debemos decir:** aguja, agujero, acordeón, fusilar, luego, marrón, dentífrico, desternillarse, gorrión, ilegible, honda, monumento, nadie y verter. **Está mal dicho:** abuja, abujero, acordión, afusilar, aluego, amarrón, dentrífico, destornillarse, gurrión, ileíble, jonda, munumento, naide y vertir.

	CONTROL DE FALTAS		
N.º	Fecha	Fecha	Fecha ....
1			
2			
3			
4			
5			
6			
7			
8			
9			
10			

Ejercicio n.º 45

Se escriben con **v** las palabras que empiezan por **pre, pri, pro, pol**, menos: prebenda, probar y probo.

GRUPO				
	prevaler	previsión	provincia	pólvora
	prevaricar	privado	proverbio	polvera
	prevenir	privar	proveedor	polvorín
	prever	privilegio	provocar	polvorón
	previo	provecho	polvo	prevalecer

DICTADO: Es lo mismo decir pecar que prevaricar. Hombre prevenido vale por dos. La provincia de Córdoba es muy agrícola. Esta capilla tiene grandes privilegios. Durante la guerra hemos pasado muchas privaciones. Una cerilla provocó la explosión del polvorín. Siempre debe prevalecer la verdad. Dame la llave de la polvera. Has dicho ahora un sabio proverbio. El aire arrastra polvo.

DICCIONARIO:

prevaler: valerse de una cosa.
prever: ver de antemano.
privar: despojar de algo.

prebenda: renta de un oficio eclesiástico.
probeta: tubo de vidrio para laboratorios.
provecho: utilidad; aprovechamiento.

CONTROL DE FALTAS			
N.º	Fecha	Fecha	Fecha ....
1			
2			
3			
4			
5			
6			
7			
8			
9			
10			

Ejercicio n.º 46

REGLA: Se escriben con **v** las palabras que terminan en **venir**, como: convenir y prevenir.

GRUPO				
	venir	intervenir	contravenir	desavenir
	advenir	porvenir	desconvenir	sobrevenir
	avenir	prevenir	desprevenir	revenir
	convenir	reconvenir	subvenir	

DICTADO: Hemos de convenir que has provocado la ira del búfalo, porque al disparar ha sido herido levemente. El porvenir de Enrique hacía tiempo estaba previsto por su vida desordenada. Para obtener una buena cosecha de avena han de intervenir diversos factores. De los grandes vicios sobrevienen las grandes tragedias. Conrado vendrá a esta playa. Hombre prevenido vale por dos.

DICCIONARIO:

avenir: ajustar, entenderse.
desavenir: desconcertar, discordar.

subvenir: auxiliar, socorrer.
reconvenir: reprobar; echar en cara.
revenirse: encogerse, consumirse.
porvenir: tiempo o suceso futuro.

	CONTROL DE FALTAS		
N.º	Fecha	Fecha	Fecha ....
1			
2			
3			
4			
5			
6			
7			
8			
9			
10			

Ejercicio n.º 47

REGLA: Se escriben con **v** las palabras que terminan en **tivo, tiva, tiva-mente**, como: activa, positivamente.

<table>
<tr><td rowspan="5">G R U P O</td><td>afirmativo</td><td>formativo</td><td>comitiva</td><td>aperitivo</td></tr>
<tr><td>cautivo</td><td>negativo</td><td>genitivo</td><td>privativo</td></tr>
<tr><td>caritativo</td><td>sensitivo</td><td>ablativo</td><td>exhaustivo</td></tr>
<tr><td>decorativo</td><td>preceptivo</td><td>curativo</td><td>excitativo</td></tr>
<tr><td>educativo</td><td>donativo</td><td>definitivo</td><td>preventivo</td></tr>
</table>

DICTADO: Los números seis, siete, ocho y nueve son correlativos. El acusativo es el caso del complemento directo. El signo menos es negativo y el más es positivo. La alegre comitiva pasó por la calle hace poco tiempo. Ambos dieron motivo de queja. Esta infusión de hierbas es curativa. Definitivamente no quiero oír hablar más de este incidente. Se han recogido bastantes donativos.

DICCIONARIO:

preceptivo: que incluye orden, mandato o regla.

sensitivo: relativo a los sentidos.
definitivo: decisivo, concluyente.
curativo, va: que sirve para curar.
aperitivo: que abre el apetito.

N.º	Fecha	Fecha	Fecha ....
CONTROL DE FALTAS			
1			
2			
3			
4			
5			
6			
7			
8			
9			
10			

Ejercicio n.º 48

Se escriben con **v** las palabras que terminan en **ava, ave, avo;** **eva, eve, evo; iva, ive, ivo,** excepto unas pocas.

GRUPO					
	lava	suevo	grave	activa	abusivo
	cónclave	cautiva	bravo	divo	degenerativo
	esclavo	declive	nieva	suave	oclusivo
	nueva	genitivo	breve	clavo	infinitivo
	leve	octava	longevo	nuevo	vomitivo

DICTADO: Ahora nieva bastante. Ese volcán ya no arroja lava. Este clavel es de olor suave. El ácido sulfúrico es corrosivo. El domingo es un día festivo. Conrado está muy pensativo. Las visitas han de ser breves. Podemos conjugar un verbo en voz activa o pasiva. La actuación del excelente divo fue apoteósica. Me he producido con este clavo una herida leve. Llueve bastante.

DICCIONARIO:

cónclave: reunión de cardenales para elegir Papa.

leve: de poco peso o importancia.
longevo: muy anciano.
declive: pendiente de un terreno.
grava: guijarros pequeños.

	CONTROL DE FALTAS		
N.º	Fecha	Fecha	Fecha ....
1			
2			
3			
4			
5			
6			
7			
8			
9			
10			

Ejercicio n.º 49

REGLA: Se escriben con **v** los nombres de los números y las estaciones del año, como: octavo, nueve, veinte, primavera.

GRUPO			
	primavera	veintiuno	veintiséis
	verano	veintidós	veintisiete
	invierno	veintitrés	veintiocho
	octavo	veinticuatro	veintinueve
	nueve	veinticinco	vigésimo

DICTADO: El curso escolar comienza alrededor del día nueve de octubre. El octavo de la clase ha conjugado la voz activa del verbo haber. Hoy hace veinte días que estuve enfermo. Un partido de fútbol lo juegan veintidós jugadores. En esa manada hemos contado veintisiete vacas. En la comitiva desfilaban nueve trompetas y veintitrés tambores. Este verano iremos a la playa.

OBSERVACIÓN:

Algunas palabras que deben escribirse juntas: anteayer, antefirma, antesala, besalamano, conmigo, contigo, cumpleaños, extremaunción, exvoto, malcriado, pisapapeles, tejemaneje.

	CONTROL DE FALTAS		
N.º	Fecha	Fecha	Fecha ....
1			
2			
3			
4			
5			
6			
7			
8			
9			
10			

Uso de las letras mayúsculas

Las principales reglas que deberán tenerse presentes para el acertado empleo y uso de las mayúsculas son las siguientes:

1.ª Al empezar un escrito y después de punto seguido o punto y aparte.

2.ª Los nombres, apellidos y apodos de personas.
   Ej.: José López García (a) «El Pepe».

3.ª Los nombres propios geográficos, como: ciudades, ríos, montes, países, mares, etc.
   Ej.: Córdoba, Guadalquivir, Pedroches, España.

4.ª Los tratamientos de cortesía y después de los dos puntos en las cartas.
   Ej.: Vd., Excmo., Muy señor mío: Recibí su aviso...

5.ª Los títulos de las obras.
   Ej.: El Quijote, Geometría plana.

6.ª Los atributos de Dios, Jesucristo y la Virgen María.
   Ej.: Salvador, Omnipotente, Reina del Cielo.

7.ª Los títulos, cargos y dignidades importantes.
   Ej.: Papa, Gobernador, Rey, Alcalde.

8.ª Los nombres de establecimientos y corporaciones importantes.
   Ej.: Banco de España, Diputación Provincial.

9.ª En las portadas de los libros e inscripciones importantes.
   Ej.: Ortografía escolar. Urbanidad.

Aplicación práctica del uso de las mayúsculas

Ejercicio n.º 50

Debemos tener presente la heroica lección de amor a la Patria que en el sitio de Tarifa nos dio Guzmán el Bueno. España es un país marítimo por excelencia, con puertos tan importantes como Gijón, Cádiz, Cartagena y Barcelona. La obra cumbre de la literatura española es El Ingenioso Hidalgo Don Quijote de la Mancha. Dentro de unos días llegará el Rey con el Consejo de Ministros. La Diputación Provincial ha recibido una importante ayuda del Estado. Estudiemos con ahínco la Ortografía.

Ejercicio n.º 51

El Cardenal Primado viaja en avión hacia la Santa Sede. Deseo que Vd. comprenda mi punto de vista. El Banco de España ha emitido una nueva serie de billetes. En la corrida de novillos ha triunfado Lagartijo. Desde el Naranco de Bulnes se divisa un maravilloso paisaje. La actual Constitución Española data del año 1978. En el Instituto Laboral se ha celebrado una exposición. Este verano dudo si lo pasaré en la playa de Marbella o en la sierra de Ávila.

Ejercicio n.º 52

Verdaderamente Jesucristo es el Hijo de Dios. Por sus hazañas bélicas en África, al general Prim se le concedió el título de Marqués de los Castillejos. El río Guadalquivir es navegable hasta Sevilla. Todavía es una incógnita el origen del Universo. El Cid Campeador se llamó Rodrigo Díaz de Vivar. Con razón se ha dicho que Extremadura es tierra de conquistadores. En las cercanías de Munda (Montilla), Julio César obtuvo una gran victoria sobre Pompeyo. Un cuento famoso es el de Alicia en el País de las Maravillas.

Aplicación de los casos particulares del acento

Ejercicio n.º 53

La niña dijo que sí cuando la invitaron a jugar al corro. Elena quiere ese sombrero para *sí*. Una obra célebre es «El *sí* de las niñas». *Si* no te importa deseo que me expliques esta lección. Yo *sé* que jugar está en infinitivo. Dile a Antonio que te *dé* las llaves. *Se* pretende ahora viajar al espacio sideral. No tengo nada *de* lo que me pides. *El* sábado es día festivo. *Tu* amistad es generosa. *Mi* juego preferido es el aro. Lleva un obsequio para *él*. No intentes hablarme de *tú*.

Ejercicio n.º 54

Este traje es para *mí*. Hinchaba el globo con *más* y *más* aire. Juega mucho, *mas* no alocadamente. Esperamos al viajero hoy o mañana. Me quedan 8 ó 9 estampas del cuaderno de cromos. No quiero *aún* desayunar. *Aun* diciéndolo usted, no lo creo. Rápidamente *fue* a avisar al vecino. Ayer *fui* de campo con mis amigos. Andrés *vio* un extraño fenómeno atmosférico. Conrado *dio* una conferencia en el Liceo. Viendo a los payasos se *rio* a carcajadas. ¿*Qué* hora es? ¿*Quién* ha preguntado por el lápiz?

Ejercicio n.º 55

¡*Cuán* triste es no ser consolado! ¿*Cuándo* tendremos buen tiempo? ¡*Cuánta* gente se divierte! ¿*Dónde* reside el carpintero? ¡*Cómo* corría la liebre! *Cuando* vayas a la tienda pregunta *cuánto* vale el arroz. Vamos a estudiar *donde* sea. *Quien* huye del peligro es un cobarde. *Como* os portéis mal, voy a castigaros. En la feria predomina el *vocerío* y la *algarabía*, pero el *guardia* cuida que ningún *bohemio* altere el orden.

NOTA. — Las reglas que se corresponden con estos ejercicios están anotadas en las páginas 9 y 10.

1. – Ejercicios con palabras homónimas.

Ejercicio n.° 56

Abjurar	retractarse, desdecirse	Absolver	perdonar, libertar
adjurar	suplicar, pedir, rogar	absorber	chupar, embeber
Abrazar	rodear, ceñir, estrechar	Acerbo	cruel, áspero al gusto
abrasar	reducir a brasas, quemar	acervo	montón de cosas

Yo te *adjuro*, en el nombre de la justicia, que *abjures* de los errores que has cometido. Los mártires murieron *abrazados* mientras sus cuerpos eran *abrasados* por la hoguera. El juez nos *absuelve* de toda culpa. Tan reseca está la tierra que *absorbe* toda el agua caída. Esta pérdida fue un *acerbo* dolor para todos, pues se quemó todo el *acervo* artístico del escultor.

Ejercicio n.° 57

Actitud	postura, disposición	Aprender	adquirir saber
aptitud	suficiencia, capacidad	aprehender	coger, asir, prender
Alma	ser inmortal y espiritual	Avanzar	pasar adelante
arma	instrumento de guerra	abalanzar	arrojar, equilibrar

Con tu rencorosa *actitud* no demostrarás tu *aptitud* en las pruebas gimnásticas. La bomba atómica es un *arma* mortífera. Enriquece tu *alma* con el noble ejercicio de la lectura de obras insignes. Ahora vamos a *aprender* la forma de *aprehender* barbos con anzuelo. Sigilosamente *avanzaron* las tropas y a la vista del enemigo se *abalanzaron* al combate.

Construye tres frases con palabras homónimas:

1ª: _____

2ª: _____

3ª: _____

2. – Ejercicios con palabras homónimas.

Ejercicio n.º 58

Asaz	bastante, muy	**Baca**	portamaletas
asar	cocer al fuego	**vaca**	hembra del toro
Azar	casualidad, caso fortuito	**Bacilo**	microbio
azahar	flor del naranjo	**vacilo**	del verbo vacilar (titubeo)

Asaz elocuente es que el *azar* hiciera que encontrara un naranjo lleno de *azahar*. Una furibunda *vaca* arremetió contra el automóvil derribando de la *baca* las maletas. Ante los síntomas que presenta el enfermo, *vacilo* si la enfermedad es debida a un *bacilo*. El *azar* hizo que en estos inhóspitos parajes hallase leña para *asar* los peces.

Ejercicio n.º 59

Bajilla	de poca estatura	**Barita**	mineral de bario
vajilla	conjunto de platos, etc.	**varita**	ramita de árbol
Baqueta	para limpiar armas	**Barón**	titulo de nobleza
vaqueta	cuero curtido de buey	**varón**	hombre

Como la mujer era *bajilla*, le fue imposible colocar la *vajilla* en el armario de cocina. Para evitar que se deteriore la *baqueta* de la escopeta protégela con esta *vaqueta* de buey. Con esta flexible *varita* de bambú escarba a ver si hallas *barita*. Por sus hazañas el rey concedió el título de *barón* al ilustre *varón* y bizarro militar.

Construye tres frases con palabras homónimas:

1ª: _____

2ª: _____

3ª: _____

3. – Ejercicios con palabras homónimas.

Ejercicio n.° 60

Basca	ansia, mareos	**Bate**	del verbo batir (golpear)
vasca	de las Vascongadas	**vate**	poeta, adivino
Basta	grosera, tosca	**Bazo**	glándula, cierto pan
vasta	dilatada, muy extensa	**vaso**	recipiente cóncavo

Debido al fuerte oleaje, la solitaria *vasca* comenzó a sentir *bascas*. En esta *vasta* llanura se halla sembrada una *basta* especie de trigo. El poeta o *vate* está *bate* que *bate* su magín y no consigue hilvanar ningún verso. Si te duele el *bazo* colócate en su ubicación un *vaso* de agua templada. Es de *basta* calidad el pan llamado *bazo*.

Ejercicio n.° 61

Beldad	belleza, hermosura	**Biga**	carro de dos caballos
verdad	realidad, certeza	**viga**	madero largo y grueso
Bello	que tiene belleza	**Bienes**	capital, riqueza
vello	pelo corto y suave	**vienes**	del verbo venir

En *verdad* os digo que este paisaje es una *beldad*. El melocotón está cubierto de un fino *vello* que le da un *bello* aspecto. Los briosos corceles de la ligera *biga* están separados por una fuerte *viga* de madera. Si mañana *vienes* a casa te enseñaré los magníficos *bienes* legados al museo por el raro y excéntrico *vienés*.

Construye tres frases con palabras homónimas:

1ª: _____

2ª: _____

3ª: _____

4. – Ejercicios con palabras homónimas.

Ejercicio n.º 62

Botar	hacer saltar algo	Callado	estar en silencio
votar	emitir uno su voto	cayado	bastón de pastor
Cabila	tribu marroquí	Cera	para hacer velas
cavila	piensa, medita	sera	espuerta sin asas

Ya he emitido mi *voto* en las elecciones, pero el presidente está que *bota* porque nadie *vota*. El valiente general *cavila* la forma de reducir a la obediencia a la *cabila* rebelde. El pastor medita *callado* apoyado en su basto *cayado*. Al extraer la miel de las colmenas echa la *cera* en las distintas *seras* de esparto.

Ejercicio n.º 63

Desecho	cosa que no sirve	Espirar	expeler el aire aspirado
deshecho	roto en pedazos	expirar	morir, fallecer
Espiar	observar en secreto	Estirpe	raíz de un linaje
expiar	purgar culpas hechas	extirpe	del v. extirpar (arrancar)

Una vez *deshecho* este viejo mueble tira los *desechos* a la hoguera. Sorprendido el *espía* por el enemigo, en un calabozo *expía* ahora su indiscreción. *Espirar* es dar salida al aire de los pulmones. Hacinados en su madriguera, *expiraron* los lobeznos asfixiados. El cirujano se dispone a *extirpar* al enfermo el tumor canceroso que padece.

Construye tres frases con palabras homónimas:

1ª: _____

2ª: _____

3ª: _____

5. – Ejercicios con palabras homónimas.

Ejercicio n.º 64

Gallo	ave de corral	**Hablando**	del verbo hablar
gayo	alegre, vistoso	**ablando**	del verbo ablandar
Graba	del v. grabar (esculpir)	**Habría**	del verbo haber
grava	guijo, piedra menuda	**abría**	del verbo abrir

El *gallo gayo* lanzó al aire su alegre y majestuoso quiquiriquí. En tu mente *graba* que al conjunto de piedras menudas se le llama *grava*. Veré si *hablando* con él consigo que su corazón se *ablande*. Se *habría* conocido al intruso si cuando *abría* la ventana le hubieras sorprendido. El vistoso *gallo* escarba en la *grava*.

Ejercicio n.º 65

Halla	del verbo hallar	**Haro**	ciudad, apellido
haya	del verbo haber; árbol	**aro**	anillo; del verbo arar
La Haya	capital de Holanda	**Hartura**	estar repleto de alimento
aya	niñera	**altura**	elevación de una cosa

En *La Haya*, a la sombra de una *haya* se *halla* un bello monumento dedicado a las *ayas* del mundo. En el desastre quizás *haya* habido víctimas. Pepito *Haro* está entretenido jugando al *aro*. Me será imposible subir a esa *altura*, porque comiendo he llegado a la *hartura*. En la ciudad de *Haro* (Logroño) se fabrican fuertes *aros*.

Construye tres frases con palabras homónimas:

1ª: _____
2ª: _____
3ª: _____

6. – Ejercicios con palabras homónimas.

Ejercicio n.º 66

Has	del verbo haber	**Hatajo**	rebaño, conjunto
as	campeón; en la baraja	**atajo**	senda, camino breve
Hasta	preposición propia	**Hecho**	del verbo hacer
asta	cuerno; palo de bandera	**echo**	del verbo echar

Has de saber que jugando a las cartas soy un *as*, pues siempre consigo un *as*. No podrás izar la bandera *hasta* que no pongas vertical el *asta*. El pastor lleva su *hatajo* a abrevar por el *atajo* del monte. Como ya he *hecho* mis deberes, veré si *echo* esta carta al buzón. El toro y la vaca poseen *astas*.

Ejercicio n.º 67

Herrar	poner herraduras	**Hizo**	del verbo hacer
errar	equivocar, no acertar	**izo**	del verbo izar (subir)
Hierba	planta menuda y tierna	**Hojear**	pasar hojas de libros
hierva	del verbo hervir	**ojear**	acosar y espantar la caza

De condición humana es el *errar*; por ello, al *herrar* el asno no confundas las herraduras. Cuando el agua *hierva* échale esta *hierba*. El bizarro soldado *izó* la bandera y el viento la *hizo* ondear majestuosamente. Mientras *hojeas* el libro nuevo, iré al monte a *ojear* la caza. Otra vez he *errado* el tiro.

Construye tres frases con palabras homónimas:

1ª: _____

2ª: _____

3ª: _____

7. – Ejercicios con palabras homónimas.

Ejercicio n.° 68

Honda onda	profunda; arma movimiento del agua	Hoy oí	en este día presente del verbo oír (percibir)
Hora ora	medida de tiempo del verbo orar (rezar)	Hoya olla	hondura de la tierra vasija para cocer

Al tirar la piedra en la *honda* alberca se originaron concéntricas *ondas*. Ya es *hora* de que practiquemos este hermoso lema: trabaja, *ora* y sé misericordioso. *Hoy* no puedo descansar porque *oí* unos horrísonos truenos. Antiguos romances cantan que en esta *hoya* está enterrada una *olla* con valiosas *joyas*.

Ejercicio n.° 69

Hulla huya	carbón de piedra del verbo huir (escapar)	Huso uso	instrumento para hilar práctica de una cosa
Húsar usar	soldado de caballería disfrutar alguna cosa	Jira gira	paseo, excursión del v. girar (dar vueltas)

Le ruego que *huya* pronto porque en la mina de *hulla* ha sonado una explosión. El *húsar* o soldado de a caballo *usa* un vistoso uniforme. La costumbre o *uso* ha extendido el *uso* para hilar de un aparatito llamado *huso*. Cuando vayamos de *jira* al campo, observa que la veleta de la ermita *gira* suavemente.

Construye tres frases con palabras homónimas:

1ª: _____
2ª: _____
3ª: _____

8. – Ejercicios con palabras homónimas.

Ejercicio n.º 70

Loza	vajilla de barro fino	**Rayar**	trazar rayas
losa	piedra llana y delgada	**rallar**	desmenuzar con el rallo
Masa	volumen, mezcla	**Rebelar**	sublevarse, protestar
maza	instrumento bélico	**revelar**	descubrir, manifestar

En esta *losa* de mármol coloca la *loza* que hemos recibido hoy. Coge la *maza* de madera y bate la *masa* de los bizcochos. En una hoja de papel *rayado* coloca el pan *rallado*. El mensajero *reveló* a sus jefes que la tropa se *rebeló* ayer. Blandiendo su maciza *maza* el gladiador se *rebeló* contra el romano.

Ejercicio n.º 71

Resta	operación aritmética	**Seso**	cerebro, prudencia
recta	línea geométrica	**sexo**	df.ª entre varón y hembra
Sabia	mujer que sabe mucho	**Tubo**	cilindro hueco
savia	jugo de los vegetales	**tuvo**	del verbo tener

Debemos trazar *recta* y horizontal la raya de la *resta*. Ya *sabía* de niño, pues lo dijo una *sabia* maestra, que la *savia* es el jugo de los vegetales. No es necesario mucho *seso* para distinguir el *sexo* de los vertebrados. Antiguamente se *tuvo* la costumbre de guardar los pergaminos en *tubos* de plomo.

Construye tres frases con palabras homónimas:

1ª: _____

2ª: _____

3ª: _____

EJERCICIOS CON VOCABLOS NO CONTENIDOS EN LAS REGLAS

1. – Palabras que llevan c final de sílaba.

Accésit	bráctea	dirección	lector
acceso	calefacción	directo	octógono
accidente	cinc	estricnina	octubre
acción	compacto	estricto	pacto
acta	conducta	extracto	perfecto
activo	confección	facción	recta
actor	correcto	factor	rector
actual	defecto	ficción	sección
afecto	destructor	insecto	sector
aflicción	detective	lactancia	técnica
arquitecto	diccionario	lácteo	tractor
aspecto	dictado	lección	usufructo

Ejercicio n.º 72

Hagamos una demostración de siembra con el tractor. El colegio tiene una buena calefacción. Realiza la corrección de este problema. Limítate a exponer lo estrictamente necesario. En octubre comienzan las clases. Traza una línea recta vertical. Yo conozco al arquitecto de este edificio. Una pila eléctrica está compuesta de cinc y cobre. Observemos siempre buena conducta.

Ejercicio n.º 73

No es correcto ir de visita desaseadamente. Este jarabe es de confección casera. El agua es un elemento destructor del relieve. Sé siempre persona activa y complaciente. Clasifica estos insectos con todo detalle. El aspecto de estas tierras es compacto. Demuestra afecto a tus semejantes. El fracaso del artefacto fue debido a un defecto de la técnica. La leche es un producto lácteo.

NOTA. — De estos ejercicios y siguientes el niño debe buscar en el diccionario los significados de los vocablos que a juicio del profesor son más confusos, anotando las definiciones en el Cuaderno de Dictados y aprendiéndolas para enriquecer su léxico.

---

2. – Palabras que llevan g final de sílaba

Amígdalas	Ignacio	Magdalena	persignar
astigmatismo	ígneo	magma	pigmento
Benigno	ignominia	magnánimo	pigmeo
consigna	ignorar	magnate	pignorar
designio	ignoto	magnesia	pugna
dignidad	impregnar	magnetismo	repugnar
digno	impugnar	magnicidio	resignar
dogma	indignar	magnífico	ring
enigma	indigno	magnitud	segmento
estigma	insigne	magno	signar
fragmento	insignia	magnolia	signo
iceberg	lignito	maligno	zigzag

Ejercicio n.° 74

No seas egoísta con tu prójimo, sino magnánimo y generoso. El que no es agradecido es indigno y ruín. Analiza el fragmento de lignito y describe lo observado. Benigno usa gafas porque padece astigmatismo. Pega los fragmentos de este jarrón. La magnolia da hermosas flores blancas. Dibuja un segmento circular. El ingente iceberg amenaza la navegación. Las malas acciones repugnan nuestra conciencia.

Ejercicio n.° 75

El explorador ha salido hacia ignotos países por ignorados caminos. Ignacio ha descubierto una mina de lignito. Ha producido gran indignación el intencionado magnicidio. Tu examen de Geografía ha sido magnífico. El insigne académico pronunció un magno discurso. Es magnífico el nuevo estadio de fútbol. El pueblo pigmeo es uno de los más primitivos. Aclara el enigma de este pasatiempo.

Anota aquí las faltas cometidas:

74. _____

_____

_____

75. _____

_____

_____

3. – Palabras que llevan p final de sílaba

Aceptar	concepción	erupción	óptica
adaptar	concepto	heptaedro	optimismo
adepto	corrupción	heptágono	óptimo
adopción	cripta	hipnotismo	preceptor
adoptar	descripción	inepto	rapsodia
apto	dioptría	interceptar	reptil
asepsia	díptero	interruptor	receptor
capcioso	diptongo	lapso	ruptura
cápsula	eclipse	Neptuno	septiembre
captar	egipcio	nupcial	séptimo
capturar	Egipto	opción	subscriptor
colapso	elipsis	optar	triptongo

Ejercicio n.º 76

Debemos aceptar las desgracias con resignación y optimismo. El enemigo interceptó el mensaje dirigido al general. El cortejo nupcial pasó originando gran algarabía. Dos vocales fuertes no forman diptongo. Ahora está la cosecha en óptimas condiciones de siega. Anuncian para mañana un eclipse solar. Neptuno es un planeta del sistema solar. Esta cápsula metálica es apta para nuestros fines.

Ejercicio n.º 77

El mago hindú hipnotizó a la huidiza serpiente. Falleció de un colapso fulminante. En el examen de Gimnasia he obtenido la aptitud. La sublevación ha conseguido gran número de adeptos. En la cripta de la catedral de Cádiz se oye el oleaje marino. Los espejismos son ilusiones ópticas. La erupción del volcán fue horrorosa. Explica las diferencias que existen entre un heptágono y un heptaedro.

Anota aquí las faltas cometidas:

76. _____
_____
_____
77. _____
_____
_____

4. – Palabras que llevan h intercalada

Adherir	alcohol	cohibir	moho
ahí	alhaja	dehesa	prohibir
ahijado	alhóndiga	deshojar	rehén
ahínco	alhucema	deshonesto	tahona
ahíto	almohada	deshonor	tahúr
ahogar	anhelo	deshonra	truhán
ahondar	bahía	deshora	vahído
ahora	bienhechor	exhalación	vaho
ahorcar	bohemio	exhibir	vehemencia
ahorrar	buhardilla	exhortar	vehículo
ahuecar	búho	inhábil	zaherir
ahumar	cacahuete	malhechor	zahón
albahaca	cohesión	mohín	zahúrda

Ejercicio n.º 78

Sobre el depravado déspota cayó el deshonor y la deshonra. El humilde obrero habita en una lóbrega buhardilla. Ahora es cuando debes estudiar con ahínco. En este acuario se exhiben raras especies de peces. El joven se ahogó por su imprudencia temeraria. Ahí es donde debes adherir el sello. El tahúr fue apresado en su zahúrda por truhán. Aplica alcohol a la herida para desinfectarla.

Ejercicio n.º 79

En aquella dehesa pastan bravas reses de lidia. Evita que las flores del jarrón se deshojen. La albahaca y la alhucema son plantas aromáticas. La famosa cantatriz exhibe en escena valiosas alhajas. Ahorremos sin avaricia. El búho es un ave rapaz. El domingo es inhábil para el trabajo. Te exhorto para que rehúyas de las acciones deshonestas. El niño hizo un gracioso mohín.

Anota aquí las faltas cometidas:

78. _____
_____
_____
79. _____
_____
_____

5. – Palabras formadas por el grupo b-b.

Abombar	barbaridad	biberón	bombón
abubilla	bárbaro	bicarbonato	borbotar
baba	barbecho	bisabuelo	cabizbajo
babero	barbería	bobería	embeber
babor	barboquejo	bobina	imberbe
babosa	barbotar	bobo	nabab
babucha	barbullar	bomba	rebaba
balbucir	barrabás	bombacho	ruibarbo
bambú	bebedizo	bombero	soberbia
baobab	beber	bombilla	suburbio
barba	bereber	bombo	zambomba

Ejercicio n.° 80

Los romanos llamaban bárbaros a los pueblos extranjeros. Los árabes han desterrado el uso cotidiano de la babucha. Llamamos barrabás a la persona muy mala. Evita siempre el beber agua estancada. La babosa habita en los parajes húmedos. Habla claro y deja los balbuceos. Un árbol gigante es el baobab del África tropical. Con la caña de bambú se fabrican variados objetos.

Ejercicio n.° 81

El agua salía a borbotones del manantial. Cantaré villancicos acompañado de la grave zambomba. Con las nuevas edificaciones han desaparecido las chabolas de los suburbios. Los bomberos acudieron diligentes. Los bebés toman sus alimentos en biberón. Que hagamos lo que pretendes es una bobería. Deja que el pan embeba la leche. Los cazadores rehúyen matar abubillas por su pestilencia.

Anota aquí las faltas cometidas:

80. _____
_____
_____

81. _____
_____
_____

6. – Palabras formadas por el grupo v-v.

Avivar	revólver	veintinueve	viveza
convivir	revolver	vendaval	vividor
desvivirse	salvavidas	viceversa	vivienda
devolver	siempreviva	vindicativo	vivificar
envolver	sobrevivir	visivo	vivíparo
invectiva	univalvo	vivac	vivir
lavativa	valva	vivacidad	vivisección
malvavisco	válvula	vivaracho	vivo
malvivir	vánova	víveres	vocativo
revivir	veintavo	vivero	volver

Ejercicio n.º 82

El fuerte vendaval avivó la llama de la hoguera con peligro de incendiar el vivac o campamento. La lagartija es un reptil de gran viveza. Procura devolver a su legítimo dueño el objeto que has encontrado al volver del trabajo. Exijamos que los víveres sean envueltos en papel no impreso. Convivamos sometidos a las buenas costumbres. Tras ímprobos esfuerzos revivió el ahogado.

Ejercicio n.º 83

La almeja es un molusco bivalvo, y la lapa, univalvo. Cierra herméticamente la válvula de la botella de oxígeno. El aire de la sierra vivifica plantas y animales. El perro y el gato son animales vivíparos. Todo instrumento que sirve para ver se llama visivo. En algunas regiones a la colcha se la llama vánova. Al revolver el oscuro recoveco fui atacado por un hampón revólver en mano.

Anota aquí las faltas cometidas:

82. _____
_____
_____

83. _____
_____
_____

7. – Palabras formadas por el grupo ge-gi.

Adagio	colegial	emergencia	gemido
ágil	colegio	energía	geranio
agitación	congelar	esfinge	gerente
álgebra	congeniar	evangelio	germen
ambages	congestión	exigencia	gesta
analgesia	contagiar	falange	gestión
ángel	digestión	faringe	giba
argentino	dígito	fingido	gigante
auge	diligencia	flagelo	gimotear
autógeno	dirigible	frágil	girasol
beligerante	efigie	fugitivo	gitano
caliginoso	egregio	gelatina	gragea
cartaginés	elogio	gemelo	hegemonía

Ejercicio n.º 84

El vocablo adagio es sinónimo de refrán, proverbio o máxima. El gimnasta hizo una exhibición de agilidad rítmica. Agita ese preparado con una varilla de vidrio. Explica sin ambages el párrafo leído. Los productos que quitan los dolores físicos se llaman analgésicos. Adquiere un gran auge hacer elogios de la egregia efigie.

Ejercicio n.º 85

En caso de emergencia usaremos la energía solar. La esfinge es un monumento faraónico. Los tallos del geranio son muy frágiles. Herido el gigante Polifemo por la astucia de Ulises, lanzaba gemidos desde lo más profundo de su laringe. La falange fue una organización militar de la hegemonía griega. El camello posee dos gibas o jorobas.

Anota aquí las faltas cometidas:

84. _____
_____
_____
85. _____
_____
_____
_____

NOTA. — No incluidas las palabras terminadas en gía que impliquen cuestiones técnicas.

7. – Palabras formadas por el grupo ge-gi.

Hemorragia	mugido	prodigio	sufragio
higiene	naufragio	púgil	sugestión
ilegible	negligencia	refugio	tangente
inteligible	nitrógeno	régimen	tragedia
laringe	nostalgia	regimiento	urgencia
legible	orgía	regio	vagido
legión	original	región	vegetal
legislación	originar	religión	vergel
ligereza	página	rigidez	vestigio
lógica	pergeñar	sacrilegio	vigía
mágico	plagio	sargento	vigilia
magisterio	presagio	sigilo	virginidad
marginal	privilegio	sortilegio	vorágine

Ejercicio n.º 86

Usaremos de mucha higiene en las hemorragias. Como has escrito con ligereza, la carta está ilegible. Es de condición privilegiada el que dedica su vida al Magisterio. Este desorden va a originar la pérdida del manuscrito original. Haz un apunte marginal en la página dieciséis de la Geometría. Tu lenguaje es ya inteligible.

Ejercicio n.º 87

En el Evangelio se narran maravillosos prodigios. Herido de gravedad el vigía del refugio, se le practicó una cura de urgencia. El sargento sorteó con sigilo la alambrada enemiga. No existen vestigios del triste naufragio. Los vagidos o gemidos del recién nacido son signos de alegría para los padres. No te sugestiones con esta tragedia.

Anota aquí las faltas cometidas:

86. _____
_____
_____
87. _____
_____
_____

8. – Palabras formadas por el grupo je-ji.

Agujerear	cajetilla	correjel	fijeza
ajimez	cajista	crujía	flojedad
alfanje	canje	crujido	forajido
alijo	canonjía	deshoje	granujiento
aljibe	cejijunto	dije	guajiro
apoplejía	cojera	ejido	héjira
aventajar	cojín	emperejilar	herejía
bajel	cojinete	empuje	injertar
bajeza	cojitranco	enajenar	interjección
bajío	concejil	entretejer	jefe
berenjena	conjetura	envejecer	jengibre
bujía	conserje	espejismo	jenízaro

Ejercicio n.º 88

El alfanje es una espada ya en desuso. Las lluvias de este invierno han llenado el aljibe. Canjea por otras nuevas las bujías fundidas. El bajel embarrancó en el bajío de la orilla. Coloca el asta de la bandera en el ajimez de arabesco. A base de lógicas conjeturas hemos localizado la cajetilla. El envejecer es inevitable en los seres vivientes.

Ejercicio n.º 89

El envejecido jefe de los jenízaros era un forajido. Observa con fijeza esta forma de injerto. Se obtuvo un importante alijo de droga en el puerto de Cádiz. El espejismo es una ilusión óptica en los desiertos. Esta fruta tiene aspecto granujiento. Necesitaremos un gran empuje para mover este peñasco. Los campesinos de Cuba se llaman guajiros.

Anota aquí las faltas cometidas:

88. _____
   _____
   _____
89. _____
   _____
   _____

NOTA. — No incluidas las palabras que ya están amparadas en las reglas de la jota.

8. – Palabras formadas por el grupo je-ji.

Jeque	jirón	objeción	rejilla
jerarquía	lejía	objetar	rojizo
jerezano	majestad	objeto	sujeción
jergón	majeza	ojeada	sujetar
jeringa	mejicano	ojera	tarjeta
jeroglífico	mejilla	ojeriza	tejido
jersey	mejillón	ojiva	tijera
jesuita	mejunje	paisajista	trajinante
jíbaro	mojicón	pajizo	trajín
jibia	mojiganga	pejiguera	vejestorio
jilguero	mojigato	perejil	vejez
jinete	monje	perplejidad	vejiga
jirafa	mujer	quejicoso	verjel

Ejercicio n.º 90

A los perros salvajes se los llama jíbaros. No tengo nada que objetar sobre mi nuevo jersey. En el cuartel dormíamos en un jergón de virutas de madera. El austero monje nos conmovió con sus virtudes. El canto del jilguero es armonioso. La jirafa es oriunda de África. La jibia y el mejillón son animales marinos. No distraigas al jinete con tus mojigangas.

Ejercicio n.º 91

Echa una ojeada a este objeto. Ya está hecha la rejilla. Sujeta las tijeras mientras escribo esta tarjeta. Nos causó gran perplejidad la notoria vejez del trajinante. El perejil se usa como condimento. El niño está quejicoso porque ha perdido la cajita de los lápices. El paisajista ha logrado reproducir fielmente este vergel o verjel. Sujeta con gomillas las tarjetas del catálogo.

Anota aquí las faltas cometidas:

90. _____
_____
_____
91. _____
_____
_____

9. – Palabras que comienzan por h.

Haba	harapo	hélice	héroe
habichuela	harina	hematites	hidalgo
hábil	hastío	hemiciclo	hierba
hábito	hazaña	hemorragia	hígado
hacienda	hebilla	henchir	higiene
hacha	hebreo	hender	higo
hada	hecatombe	heno	hijo
halago	hechicero	heraldo	hilaridad
halcón	heder	herbario	hilera
hálito	hedor	herencia	hilván
hamaca	hegemonía	hermético	hincar
hampa	helado	hermoso	hinojo

Ejercicio n.° 92

Juan convive con personas de muy buenos hábitos. El hedor que despide el hálito de un halcón es insoportable. El hebreo ha puesto una fábrica de helados. Las hebillas de los zapatos del heraldo son de oro. En la hacienda encontraremos cómodas hamacas. Los muchos halagos me producen hastío. El Cid realizó hábiles hazañas.

Ejercicio n.° 93

La hematites es un mineral de hierro. Clasifica en el herbario estas hierbas secas. La hiena es un animal de pelo hirsuto. El higo se protege con hojas de higuera. Nos produjo gran hilaridad el torcido hilván de la hija del hidalgo. Cierra herméticamente la puerta de la hacienda. Henchidas sus velas el barco hiende las aguas.

Anota aquí las faltas cometidas:

92. _____

_____

_____

93. _____

_____

_____

NOTA. — Excluidas las palabras que ya están amparadas en las reglas de la hache y demás ejercicios sobre esta letra.

9. – Palabras que comienzan por h.

Hirsuto	horadar	hórreo	huir
hisopo	horca	horrísono	hule
hispano	horchata	horror	hulla
histeria	horda	hortaliza	hundir
historia	horizonte	hortelano	húngaro
hocico	horma	hortensia	huraño
hoguera	hormiga	hosco	huracán
hoja	hornacina	hospicio	hurgar
hollín	hornaza	hostería	hurí
homilía	horno	hostigar	hurón
honesto	horóscopo	hostil	hurra
hongo	horquilla	hoz	hurtar
hontanal	horrendo	hucha	husmear

Ejercicio n.º 94

La historia del pueblo hispano es muy extensa. La horrenda hecatombe produjo una histérica reacción. El hórreo es el granero de los países húmedos. La hormiga es un insecto hacendoso. El oso hormiguero tiene un pronunciado hocico. Usa esta horquilla para introducir el pan en el horno. Las hojas húmedas producen en la hoguera mucho humo.

Ejercicio n.º 95

El horrísono fragor del huracán horrorizó a los humildes habitantes del hospicio. El hortelano cuida en su huerto verdes hortalizas y exóticas hortensias. No hostigues al hurón pues te morderá. Al húngaro le hurtaron sus míseros harapos. A Higinio le quitaron la hucha. El héroe se mostró hostil a todo halago.

Anota aquí las faltas cometidas:

94. _____
_____
_____
95. _____
_____
_____

10. – Palabras que comienzan por b.

Bacalao	bala	balsa	bandurria
bacilo	balada	bálsamo	banquero
báculo	baladí	baluarte	baño
bache	balance	ballena	baraja
badajo	balanza	ballesta	baranda
badana	balazo	banca	barato
badén	balcón	banda	barca
bahía	balde	bandeja	barniz
bailar	baldosa	bandera	barquero
bajá	balido	bandido	barra
bajada	balneario	bando	barraca
bajo	balón	bandolero	barranco

Ejercicio n.º 96

No en balde el borrego daba balidos subido en la inestable balsa. Bajó el telón al acabar el bajo su balada. El profundo bache hizo que la bicicleta volcara. Estos zapatos son de fina badana. El ilustre bajá ordenó la baja de precios. El badajo de la campana se ha roto. Estas baldosas tienen un precio baladí. Una bala le hirió mortalmente.

Ejercicio n.º 97

De un terrible coletazo la ballena hizo zozobrar la barca. En la barraca se exhiben bellas bandejas. El bando recompensa la captura del bandolero. El baluarte ha sido barrido a cañonazos. La baranda está hecha con fuertes barras. El aeroplano entró en barrena y se estrelló en el barranco. El barquero canta al son de la bandurria.

Anota aquí las faltas cometidas:

96. _____

_____

_____

97. _____

_____

_____

NOTA. — Excluidas las palabras que ya están amparadas en las reglas de la be.

10. – Palabras que comienzan por b.

Barrena	bastardo	beatitud	beodo
barrer	bastidor	becerro	berenjena
barrera	bastón	bedel	bermejo
barricada	basura	befa	berrido
barriga	batalla	belén	besar
barril	batata	bélico	bestia
barro	batería	bellaco	besugo
barrote	batidor	belleza	biblioteca
barullo	batuta	bellota	bicicleta
báscula	bautismo	bencina	bicoca
base	bayeta	bendecir	bicho
basílica	bayoneta	beneficio	bidón
bastante	bazar	benévolo	bigote

Ejercicio n.º 98

En la barricada asomaban amenazadoras las bayonetas. Entre los barriles llenos de basura y barro los cañones impedían la batalla a campo abierto. Cuece esta batata liándola en una bayeta húmeda. Recibió el bautismo en esta basílica. El bastidor del camión arrojó bastante peso en la báscula. En este bazar encontrarás la batuta.

Ejercicio n.º 99

Con piel de becerro se fabrican fuertes botas. Seamos benévolos con el imberbe bedel. La bellota es el fruto de la encina. La piel del besugo es de color bermejo. Si apruebas el bachillerato te compraré una bicicleta. Un beodo es causa de compasión y no de befa. El beneficio obtenido lo gastaremos en una bicicleta. La feroz bestia lanzó un berrido.

Anota aquí las faltas cometidas:

98. _____

_____

_____

99. _____

_____

_____

10. – Palabras que comienzan por b.

Billete	bistec	bocina	boleto
billón	bisturí	bocoy	bólido
binomio	bizarro	bochorno	bolillo
biografía	bizcocho	boda	bolo
biología	biznieto	bodega	bolsa
bípedo	boa	bofetada	bolsillo
birreta	boato	boga	bolso
birria	bobería	bogar	bollo
bisagra	boca	bohemio	bonachón
bisectriz	bocacalle	boina	bonancible
bisiesto	bocadillo	bola	bonanza
bisonte	bocanada	bolero	bondad
bisoño	boceto	boletín	bonete

Ejercicio n.° 100

La biología es la ciencia que estudia la vida de los seres. Engrasa la bisagra porque está mohosa. Este año es bisiesto. El bisoño soldado no tiene nada de bizarro. El hombre es un animal bípedo. Las fiestas se celebraron con gran boato. La boa es una serpiente de enormes dimensiones. Se resfrió porque recibió una bocanada de aire.

Ejercicio n.° 101

Como el tiempo está bonancible bogaremos bastante. El boleto de la tómbola ha sido premiado con una boina. Guarda este billete en tu bolsillo. Pasamos mucho bochorno persiguiendo al bisonte. El bólido se incendió al entrar en la atmósfera. El bailarín bailó el bolero con garbo. En la boda recibió una bofetada el insolente bohemio.

Anota aquí las faltas cometidas:

100. _____
_____
_____
101. _____
_____
_____

10. – Palabras que comienzan por b.

Bonificar	borde	borrica	botijo
bonito	boreal	borrón	botín
bonzo	bórico	bosque	botón
boñiga	borla	bosquejo	bóveda
boqueada	borne	bostezar	boxear
boquerón	borona	bota	boya
boquete	borra	botadura	bravata
boquilla	borracho	botana	bravura
borato	borrador	botánica	brebaje
borceguí	borrar	bote	breve
borda	borrasca	botella	breviario
bordado	borrego	botica	bribón

Ejercicio n.° 102

El bonzo llevaba en la cabeza un raro bonete del que pendía una bonita borla. El boquerón dio las últimas boqueadas y quedó exánime en la playa. La aurora boreal es un fenómeno celeste. Al pan de maíz se le llama borona. La certera bala abrió un boquete en la borda del buque. No olvides que la bondad es una bella virtud.

Ejercicio n.° 103

Se llama borrego al cordero de pocos meses. No bogues más allá de la boya ya que el bote se puede hundir. Que sea breve tu paseo por el bosque. La bravata es de cobardes, la bravura es de héroes. Es de bribones carecer de urbanidad. Pide en la botica una botella de jarabe. El botijo de barro hace el agua fresca. Evita los borrones.

Anota aquí las faltas cometidas:

102. _____
_____
_____
103. _____
_____
_____

11. – Palabras que comienzan por v.

Vaca vaguedad vampiro vario
vacación vaina vanagloria vasallo
vacante vainilla vanamente vasija
vaciadero vajilla vanidad vaso
vaciar vale vano vasto
vacilar valentía vapor vaticinio
vacunar valer vaporoso vecino
vado validez vapular vedar
vagar valiente vaquero vega
vagido valorar vara vegetal
vago valla variar vehemencia
vagón valle varilla vehículo

Ejercicio n.º 104

Esta valla de madera nos va a servir para acotar el valle. Aprovechemos este vado para pasar las vacas. La vacuna antivariólica nos protegerá contra la viruela. El vale para viajar en este vagón ha perdido su validez. No vaciles en ser valiente en la defensa de tu teoría. En las vacaciones de verano quedará vacante esta plaza.

Ejercicio n.º 105

A los vecinos de la vega les está vedado visitarla. El vehemente conductor hacía correr a gran velocidad su vehículo. El vaquero vapulea a la vaca con una dura vara. La vainilla es un vegetal aromático. Es de vanidosos el vanagloriarse. Deja la varilla en la vasija. Intentas en vano hacer variar la dirección del vapor. Te vendaré la herida.

Anota aquí las faltas cometidas:

104. _____
_____
_____

105. _____
_____
_____
_____

NOTA. — Excluidas las palabras que ya están amparadas en las reglas de la uve.

11. – Palabras que comienzan por v.

Vejar	vencer	verbena	verruga
vejez	vender	verbo	versión
vejiga	vendimia	verdad	verso
vela	veneno	verde	vértebra
velada	venerar	verdugo	verter
veleta	venganza	vereda	vertical
velo	venial	vergel	vértice
velocidad	ventaja	vergüenza	vertiente
veloz	ventana	verídico	vértigo
vello	ventilar	verificar	vestíbulo
vena	ventura	verja	vestido
venablo	veraz	verosímil	vestigio

Ejercicio n.° 106

El veloz venado o ciervo fue herido por un certero venablo o lanza. Asomado a la ventana veré las faenas de la vendimia. Domínate y vence tus deseos de venganza. La vejez aventaja a la juventud en sapiencia. Su venenoso lenguaje llenó de vejaciones al humilde vasallo. La velada vespertina ha viciado el aire de la habitación.

Ejercicio n.° 107

Es verosímil que una verruga sea causa de un cáncer. Cada vate o poeta da una versión distinta a los versos gongorinos. Aún quedan vestigios de los vestidos que se usaron en la civilización egipcia. Traza una vertical desde el vértice superior de esta figura. Nos hemos divertido en la verbena. Seamos veraces en nuestras aseveraciones.

Anota aquí las faltas cometidas:

106. _____
_____
_____

107. _____
_____
_____

11. – Palabras que comienzan por v.

Vestir	viciar	vigente	vino
veta	vicisitud	vigía	viña
veterinario	víctima	vigilancia	viñeta
veto	victoria	vigor	viola
vetusto	vid	vihuela	violado
vez	vida	vil	violar
viaducto	vidente	vilipendio	violencia
viajante	vidrio	villorrio	violín
vianda	viejo	vinagre	virar
viático	viento	vinajera	virgen
víbora	vientre	vincular	viril
vibrar	viernes	vindicar	virreina

Ejercicio n.° 108

El viejo veterinario ha visto el viernes una víbora. El viajante iba provisto de suficientes viandas para hacer frente a cualquier vicisitud. El cultivo de la vid es la vida de muchos hombres. Este vaso de vidrio es tan fino que vibra al menor golpe. Tras varias vicisitudes conseguimos la victoria. El viernes iremos de excursión al villorrio.

Ejercicio n.° 109

De los viñedos de esta villa se extrae un exquisito vino. Más vale morir con honra que vivir con vilipendio. Provee la vinajera de vino y agua para la misa. El vigía está ojo avizor en su vigilancia. El virrey y la virreina están unidos por vínculos de sangre. Vamos a un concierto de viola, violín, violón y violoncelo.

Anota aquí las faltas cometidas:

108. _____
_____
_____
109. _____
_____
_____

11. – Palabras que comienzan por v.

Virrey	víspera	vocear	voluntad
virtual	vista	volante	vomitar
virtud	vital	volantín	voracidad
viruela	vitela	volar	vorágine
viruta	vitorear	volátil	voraz
visaje	vítreo	volatinero	votar
víscera	vitrina	volcán	voz
visera	vitualla	volcar	vuelta
visible	vituperio	voleo	vuestro
vigor	viudo	volquete	vulcanizar
visillo	vocablo	voltaje	vulgar
visitar	vocación	voltio	vulgo
vislumbrar	vocal	volumen	vulnerar

Ejercicio n.º 110

La víspera de tu onomástica visitaremos las tiendas. Si colocas visillos en la ventana protegerás tu vista de la fuerte luz del mediodía. En esta vitrina hay expuestos objetos de naturaleza vítrea. El virtuoso viudo recibió crueles vituperios de sus vecinos. En las vitrinas del museo se exhiben valiosas vitelas.

Ejercicio n.º 111

El volatinero parecía volar en sus ejercicios. El volcán vomitó un ingente volumen de lava y cenizas. El éter es un líquido volátil. He oído vuestras voces de auxilio en el vuelco del volquete. Es voluntad del vulgo sublevarse contra las veleidades del virrey. El frágil navío no pudo impedir que fuera tragado por la voraz vorágine.

Anota aquí las faltas cometidas:

110. _____
_____
_____

111. _____
_____
_____

12. – Palabras que llevan la letra x.

Ántrax	crucifixión	excepto	exhausto
aproximar	elixir	exceso	exhumar
asfixia	exacerbar	excitar	exiguo
auxiliar	exactitud	exclamar	eximio
auxilio	exagerar	excluir	existir
axila	exaltar	exclusiva	éxito
axioma	examen	excomulgar	exorbitante
bórax	exánime	excoriar	exorcismo
boxeo	exasperar	excremento	exornar
coexistir	excavar	excursión	exótico
complexión	exceder	excusa	expandir
conexión	excelente	execrar	expectación
convexo	excelso	exequias	expedición

Ejercicio n.° 112

No pudo pedir auxilio porque la asfixia le impedía hablar. Aquel futbolista era de complexión atlética. Se sabe con exactitud la hora de la salida de la expedición. Excede a toda ponderación las excavaciones realizadas para encontrar bórax. Un exceso en la lucha de boxeo le hizo caer exánime. Dime la hora con exactitud.

Ejercicio n.° 113

Se han celebrado exequias por el alma del eximio y excelso explorador. Ha sido excomulgado el contumaz hereje. En esta tienda expenden artículos exóticos. No hay excusa para que sea excluido de la excursión. Ha causado gran expectación el exorno del altar. Es muy exigua la cantidad asignada para esta expedición.

Anota aquí las faltas cometidas:

112. _____

_____

_____

113. _____

_____

_____

_____

NOTA. — Excluidas las palabras que están amparadas por las reglas de la equis.

12. – Palabras que llevan la letra x.

Expediente
expedir
expeler
expender
experiencia
experimento
experto
expoliar
exponer
exportar
expósito
expulsar
exquisito
éxtasis
extender

extenuar
exterior
exterminar
externo
extinguir
extirpar
extorsión
extremar
extremidad
exuberancia
exudar
exvoto
fénix
flexible
flexión

intoxicar
irreflexión
laxitud
léxico
luxación
maxilar
máxima
máxime
máximo
mixto
mixtura
nexo
ortodoxia
oxear
oxidar

oxígeno
paroxismo
pretexto
proximidad
reflexión
reflexionar
saxofón
sexto
sexo
sintaxis
taxímetro
textil
texto
tórax
tóxico

Ejercicio n.° 114

La experiencia ha hecho que el cirujano sea un experto en la extirpación de las extremidades. El eximio escultor expondrá en breve. En este experimento debemos extremar la vigilancia. Al extenderse la caza en África se están extinguiendo algunas especies animales. La intoxicación lo ha dejado extenuado.

Ejercicio n.° 115

Reflexiona antes de exponer pretextos fútiles. En los países salvajes los actos de exorcismo llevan al hombre al paroxismo. La caída le produjo una luxación del hueso fémur. Ya estamos próximos a la fábrica textil. Es excelente esta mixtura para quitar la extenuación por cansancio. Fue un éxito el concierto de saxofón.

Anota aquí las faltas cometidas:

114. _____

_____

_____

115. _____

_____

_____

13. – Palabras que llevan la letra ll.

Acullá	aullido	bollo	casulla
agalla	avellana	borbollón	cebolla
allende	bachiller	botella	centella
allí	ballena	brillante	cogollo
ampolla	ballesta	bulla	collar
apellido	barullo	caballo	cordillera
aquella	batalla	cabello	cremallera
argolla	bellaco	calle	cuello
artillería	belleza	callo	chillido
astillero	bellota	camello	destello
atolladero	billete	canalla	doncella
atropello	billón	capullo	embrollo

Ejercicio n.º 116

Estampa allí tus dos apellidos. Un certero tiro de ballesta hirió a la ballena. El atropello originó un gran barullo. Ata el saco de avellanas en aquella argolla. El agua salía a borbollones del fresco manantial. Es escalofriante el aullido del lobo hambriento. El fuego de la artillería decidió la batalla. Este curso seré bachiller.

Ejercicio n.º 117

El gallardo caballo superó todos los escollos con la velocidad de una centella. Las estrellas dan brillantes destellos. Cepilla el cabello para tenerlo brillante. Es de bellacos y canallas maltratar a honestas doncellas. La cebolla se usa como condimento. Es de gran mérito y belleza el bordado de esta casulla. Evita las bullas en la calle.

Anota aquí las faltas cometidas:

116. _____
_____
_____
117. _____
_____
_____
_____

NOTA. — Excluidas las palabras que están amparadas por las reglas de la elle.

13. – Palabras que llevan la letra ll.

Escollo	llanto	orgullo	rodilla
estrella	malla	pabellón	rollizo
gallardía	medalla	palillero	rollo
gallego	mellizo	pantalla	rondalla
galleta	metralla	patrulla	servilleta
gallina	millón	pellejo	talla
guillotina	molleja	pelliza	taller
hollín	mollera	pellizco	tallo
huella	mollete	pillaje	toalla
hulla	morralla	pollo	valla
llaga	muelle	pulla	valle
llama	muralla	quilla	vasallo
llano	murmullo	rellano	vello
llanta	olla	resuello	vitualla

Ejercicio n.º 118

Es motivo de orgullo llevar esta medalla. Al otro lado de la muralla están los astilleros. La llanta del carro dejó profundas huellas en la calle. El llanto de los nobles franceses condenados a la guillotina clamaba al cielo. Cuando mates la gallina enséñame la molleja. La hulla o carbón de piedra produce mucho hollín.

Ejercicio n.º 119

Al caer se levantó el pellejo de la rodilla. El rollizo niño corre con gran resuello. Liaremos las vituallas en amplias servilletas. Del taller del escultor salen bellas tallas. Las desalmadas patrullas se dedicaron al pillaje. El típico vallecillo está rodeado de una fuerte valla. Sécate el cuello con esta toalla.

Anota aquí las faltas cometidas:

118. _____
_____
_____
119. _____
_____
_____

14. – Palabras que llevan la letra y.

Aboyar	ayo	cipayo	enyesar
abyecto	ayudar	claraboya	enyugar
adyacente	ayuno	convoyar	epopeya
ahuyentar	ayuntamiento	cónyuge	escayola
albayalde	azagaya	coyuntura	hoya
aleluya	baya	cuyo	hoyo
aplayar	bayadera	descoyuntar	inyección
apoyar	bayeta	desmayar	inyectar
arrayán	bayo	deyección	jayán
atalaya	bayoneta	disyuntiva	joya
atrayente	boya	enjoyar	lacayo
ayer	cayo	ensayar	laya

Ejercicio n.° 120

El abyecto cipayo clavó la bayoneta en la inocente bayadera causándo-le la muerte. En el rellano de la escalera ahuyenté al ladronzuelo. Ayer coloqué la boya. Desde la atalaya se divisa al enemigo escondido en el campo de arrayanes. El marino observa las boyas situadas delante de los numerosos cayos que hay en este canal.

Ejercicio n.° 121

Aprovechemos esta coyuntura para ensayar nuevamente la epopeya. No cabe otra disyuntiva que enyesar el miembro roto con escayola. En-yuga a los bueyes y vete a arar a la hoya. El fiel lacayo fue el autor del robo de las joyas. Las deyecciones de ciertas aves constituyen un exce-lente abono. Escucha la leyenda de los jayanes.

Anota aquí las faltas cometidas:

120. _____
_____
_____
121. _____
_____
_____
_____

NOTA. —Excluidas las palabras que están amparadas en las reglas de la ye.

14. – Palabras que llevan la letra y.

Leguleyo
leyenda
mayar
mayestático
mayo
mayonesa
mayor
mayordomo
mayúscula
náyade
onomatopeya
pararrayos
payaso
payo

plebeyo
pléyades
poyo
prosopopeya
proyectar
proyectil
puya
rayar
rayo
reyerta
sayal
sayo
sayón
soslayar

subrayar
subyugar
suyo
tocayo
tramoya
trayecto
trayectoria
tuyo
ya
yacer
yacija
yantar
yegua
yelmo

yema
yermo
yerno
yerro
yerto
yesca
yeso
yodo
yugo
yugular
yunque
yunta
yute
yuxtaponer

Ejercicio n.º 122

Ayer vimos como el rayo no pudo soslayar las atrayentes puntas del pararrayos. Hoy hemos asistido a la proyección de una película de payasos. El ignorante payo quedó subyugado ante la crueldad del sayón. Las náyades y las pléyades son figuras mitológicas. Ahora subraya con una raya roja las letras mayúsculas de esta leyenda.

Ejercicio n.º 123

La trayectoria marcada por el proyectil ha sido perfecta. El cadáver yace yerto envuelto en basto sayal. El yodo es un poderoso desinfectante. Las venas yugulares están situadas a ambos lados del cuello. Las yeguas no pueden pacer en terreno yermo. Envasaremos el yeso en estos sacos de yute. La yesca arde fácilmente.

Anota aquí las faltas cometidas:

122. _____
_____
_____
123. _____
_____
_____

15. – Palabras que llevan la letra z.

Alazán
alcázar
almeza
alteza
altozano
armazón
azabache
azafrán
azotea
azúcar
azucena
azufre
azul

bizcocho
bozal
brizna
buzón
cabeza
calabozo
calzada
carroza
cazador
cerezo
certeza
coraza
corteza

cruzada
choza
delicadeza
destreza
dulzura
empalizada
entereza
escozor
fuerza
ganzúa
garbanzo
gazpacho
gozne

gozo
hazaña
holgazán
horizonte
izquierda
jazmín
lodazal
lontananza
lozanía
maleza
manzana
marzo
mazmorra

Ejercicio n.° 124

En bella carroza tirada por briosos alazanes iba su Alteza Real y era aclamado desde balcones y azoteas. Desde este altozano se divisan las plantaciones de cerezos y azucenas. El cazador fue llevado al calabozo por no poner bozal a los perros. Estos bizcochos tienen bastante azúcar. El azufre es mineral y el azafrán, vegetal.

Ejercicio n.° 125

La choza del cazador está camuflada entre la maleza. Comamos estas lozanas manzanas. El jazmín florece en verano. La merluza es un pez de carne blanca muy estimada. En los lodazales crece con lozanía el arroz. Motivo de gozo ha sido la heroica hazaña. En lóbrega mazmorra o calabozo purgaba sus culpas el mezquino avaro.

Anota aquí las faltas cometidas:

124. _____
_____
_____
125. _____
_____
_____

NOTA. — Excluidas las palabras terminadas en z (Ejercicio 6), -azo, -izo, -azgo, -triz y -zar.

15. – Palabras que llevan la letra z.

Merluza	pezuña	riqueza	zanja
mezquino	pinzas	sazón	zapato
mezquita	pizarra	taza	zarcillo
mordaza	plaza	terraza	zarza
mostaza	póliza	tizón	zarzuela
mozo	ponzoña	trenza	zócalo
nazareno	pozo	tristeza	zona
nobleza	proeza	trozo	zorra
paliza	pureza	venganza	zorzal
panza	quizás	vizconde	zueco
pelliza	rareza	zagal	zumbel
pellizco	raza	zaguán	zumo
peonza	razón	zancadilla	zurcir
pereza	refuerzo	zángano	zurrón

Ejercicio n.º 126

Escribe en la pizarra que la pereza embrutece al hombre. Hoy bailaremos la peonza en la plaza. Se prohíbe beber agua de este pozo porque está emponzoñada. Demostraremos nuestra nobleza de alma con buenas acciones. Quizás lleva razón el mozo. La puerta de la empalizada gira sobre fuertes goznes. El caballo tiene pezuñas.

Ejercicio n.º 127

La sal sirve para sazonar los alimentos. El zagal perdió el zurrón al entrar en la zona de las zarzas. La astuta zorra no pudo evitar caer en la zanja y ser cazada con facilidad. Colocaremos un zócalo de azulejos en el zaguán de la casa de campo. Causa gran tristeza ver caminar descalzos a los nazarenos por el lodazal de la calle.

Anota aquí las faltas cometidas:

126. _____
_____
_____
127. _____
_____
_____

TERMINACIONES DE LOS TIEMPOS SIMPLES DE LAS TRES CONJUGACIONES REGULARES

	TIEMPOS	PRIMERA = *ar*		SEGUNDA = *er*		TERCERA = *ir*	
Modo Infinitivo	PRESENTE	amar		temer		partir	
	GERUNDIO	ando		iendo		iendo	
	PARTICIPIO ACTIVO	ante		iente		iente	
	PARTICIPIO PASIVO	ado, ada		ido, ida		ido, ida	
Modo Indicativo	PRESENTE	o as a	amos áis an	o es e	emos éis en	o es e	imos ís en
	PRETÉRITO IMPERFECTO	aba abas aba	ábamos abais aban	ía ías ía	íamos íais ían	ía ías ía	íamos íais ían
	PRETÉRITO INDEFINIDO	é aste ó	amos asteis aron	í iste ió	imos isteis ieron	í iste ió	imos isteis ieron
	FUTURO IMPERFECTO	aré arás ará	aremos aréis arán	eré erás erá	eremos eréis erán	iré irás irá	iremos iréis irán
	Modo Potencial (*Simple*)	aría arías aría	aríamos aríais arían	ería erías ería	eríamos eríais erían	iría irías iría	iríamos iríais irían
Modo Subjuntivo	PRESENTE	e es e	emos éis en	a as a	amos áis an	a as a	amos áis an
	PRETÉRITO IMPERFECTO (*1.ª forma*)	ara aras ara	áramos arais aran	iera ieras iera	iéramos ierais ieran	iera ieras iera	iéramos ierais ieran
	PRETÉRITO IMPERFECTO (*2.ª forma*)	ase ases ase	ásemos aseis asen	iese ieses iese	iésemos ieseis iesen	iese ieses iese	iésemos ieseis iesen
	FUTURO IMPERFECTO	are ares are	áremos areis aren	iere ieres iere	iéremos iereis ieren	iere ieres iere	iéremos iereis ieren
	Modo Imperativo (*Presente*)	— a e	emos ad en	— e a	amos ed an	— e a	amos id an

ABREVIATURAS MÁS USUALES

afmo.	afectísimo	p. pdo.	próximo pasado
b. l. m.	besa la mano	q. b. s. m.	que besa su mano
b. l. p.	besa los pies	q. e. p. d.	que en paz descanse
B. O.	Boletín Oficial	q. e. s. m.	que estrecha su mano
cap.	capítulo	Rev.	Reverendo
cts.	céntimos	Rmo.	Reverendísimo
D.	Don	R. I. P.	requiéscat in pace
D.ª	Doña	S. A. R.	Su Alteza Real
Dr.	Doctor; Director	S. N.	Servicio Nacional
E. P. M.	En propia mano	S. D. M.	Su Divina Majestad
E. P. D.	En paz descanse	Sr.	Señor
etc.	etcétera	Sra.	Señora
izqda.	izquierda	Srta.	Señorita
Ilmo.	ilustrísimo	S. S.	Su Santidad
J. C.	Jesucristo	S/C.	Su casa
N. S. J. C.	Ntro. Sr. Jesucristo	s. s. s.	su seguro servidor
n.°	número	Ud.	usted
p. ej.	por ejemplo	V.° B.°	visto bueno
ptas.	pesetas	V. E.	Vuestra Excelencia
P. A.	por ausencia	V. S.	Usía
P. D.	posdata	V. R.	Vuestra Reverencia
P. O.	por orden		
pág.	página		

MODELO DE SOBRES

Sr. D. Vicente López Rivas

Navarra, s/n.

08014 Barcelona

SELLO

Instituto de Enseñanza Media

Pepita Jiménez, n.º 1

14940 Cabra (Córdoba)

SELLO

ALFABETO O ABECEDARIO

Mayúsculas

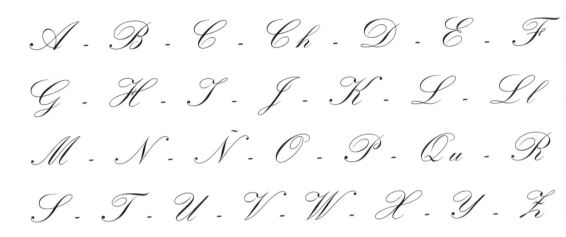

A - B - C - Ch - D - E - F
G - H - I - J - K - L - Ll
M - N - Ñ - O - P - Qu - R
S - T - U - V - W - X - Y - Z

Minúsculas

a - b - c - ch - d - e - f - g - h - i - j - k - l - ll - m
n - ñ - o - p - qu - r - s - t - u - v - w - x - y - z

Rotulación

A - B - C - Ch - D - E - F
G - H - I - J - K - L - Ll - M
N - Ñ - O - P - Qu - R - S
T - U - V - W - X - Y - Z

ÍNDICE